즐거운 나의 묘생

즐거운 나의 묘생

발　행 | 2024년 04월 23일
저　자 | 최윤석
펴낸이 | 한건희
펴낸곳 | 주식회사 부크크
출판사등록 | 2014.07.15.(제2014-16호)
주　소 | 서울특별시 금천구 가산디지털1로 119 SK트윈타워 A동 305호
전　화 | 1670-8316
이메일 | info@bookk.co.kr

ISBN | 979-11-410-8205-5

www.bookk.co.kr

즐거운
나의 묘생

최윤석 지음

목차

1. 프롤로그.

아빠의 손가락을 빌리며.

저는 고양이입니다. 저의 이야기를 들어주기 위해 책장을 펼친 여러분께 우선 감사의 말씀을 올립니다. 고양이 문단에서는 꽤 이름을 날리던 제가(검증 불가) 이번에 인간의 언어로 글을 쓰게 되었습니다.

고양이가 글을 쓴다니 다들 놀라셨을 줄로 압니다. 네, 고양이는 글을 못 씁니다. 연필을 쥘 수도 없고 컴퓨터를 열어 워드에 타자를 칠 수도 없습니다. 하지만 누군가 저의 이야기를 인간의 글로 써줄 수만 있다면, 그래서 저의 이야기를 인간들에게 전달할 수만 있다면, 그렇다면 고양이도 인간세계의 에세이를 쓰는 것이 가능할 겁니다. 제가 선택한 인간은 아빠입니다. 아빠의 손가락을 빌려 이 글을 썼습니다.

고양이들도 하고 싶은 이야기가 많고 고양이들도 생각이라는 걸 하고 삽니다. 나름대로의 에피소드도 있고 그 안에 희로애락 다 가지고 삽니다. 비단 고양이뿐만이 아니라 개나 다른 동물들도 아마 그러할 겁니다. 하지만 고양이는, 고양이 특유의 언어는 가지고 있을지언정 아쉽게도 문자는 가지고 있지 않기 때문에 인간의 글을 빌릴 수밖에 없을 뿐입니다.

고양이 카페에서 이 집으로 입양을 온 후로 지금까지 저는 과분한 사랑과 보살핌을 받으며 살고 있습니다. 더할 나위 없이 만족할 만한 묘생(猫生)이라 할 수 있습니다. 아빠와 엄마가 나이를 먹어가며 겪는 이야기들과 두 소녀들이 성장해 가는 과정을 지켜보는 일은 재밌기도 하고 곧 저의 일이나 마찬가지입니다. 왜냐면 저 역시 이들 가족의 구성원이기 때문입니다. 따라서 이 이야기의 내용은 아빠의 손가락을 빌려 제가 쓴 이야기이긴 하지만 결국은 우리 가족에 대한 이야기라고 볼 수 있을 것입니다. 주인공은 물론 저지만요.

  본문 내용에도 기술했지만 제가 언제까지 이들과 함께 살게 될지는 잘 모르겠습니다. 이 집에 가장 늦게 와서 가장 먼저 떠나게 될 가족 구성원이 바로 저일 텐데(정상적인 상황이라면 말입니다) 온 날짜는 2018년 8월이지만 떠나는 날짜를 알 수가 없으니 그저 하루하루 즐겁고 최선을 다해 살다가 무지개다리가 보이는 날 훌쩍 떠나면 그뿐이겠죠. 다만 저는 제가 떠난 후에도 남겨진 이들이 슬프지 않도록 최대한 많은 양의 추억을 쌓아두려 합니다.

  이 이야기들은 2018년부터 2021년 12월까지의 에피소드들을 엮은 것입니다. 지금은 여고생이 된 딩중이의 중학교 시절이 녹아 있고 곧 중학생이 될 딩초의 초등학교 시절 모습이 녹이 있습니다. 아이들이 어른이 되었을 때 이 이야기를 다시 꺼내어 보는 모습이 그려지는군요.

  많은 이야기들이 있었지만 미처 책에 다 담지 못

한 이야기들이 눈에 밟힙니다. 딩중이의 눈물 없인 볼 수 없는 남자친구와의 연애 이야기라든가 공부도 곧잘 하는 딩초가 굳이 아이돌이 되겠다며 댄스 학원까지 다니며 꿈을 키워가는 이야기, 하지만 본인의 진로에 대해 제 품보다 더 큰 고민을 안고 있는 이야기 등. 여러 가지 사정으로 책에 싣지 못한 이야기들이지만 저는, 아직 살아 있고 우리의 이야기도 현재 진행형이므로 이쯤에서 저의 첫 이야기를 시작해 보려 합니다.

2. 평온한 날들의 파열음.

내 이름은 앙뚜아, 이곳은 고양이 카페고 나는 나름 인싸의 지위를 누리며 평화롭게 살아가고 있었다. 부모가 어떤 고양이였는지, 내가 왜 이곳에 오게 되었는지 너무 어릴 적 일이라 잘 기억나진 않지만 어차피 고양이 인생 부모와 영원히 함께 살 팔자는 아니니 그런 건 상관없다.

나는 태어난 지 2년이 되었고 한참 예민한 사춘기의 질풍노도 시기를 겪는 중이었으나 나의 혈통이 우아하기로 소문난 페르시안 친칠라였으므로 나의 이런 예민함은 기품 있고 잘 생긴 외모와 결합되면서 도도한 매력이 배가 되는 효과를 가져오기에 충분했다.

1년 전 중성화 수술을 받으면서 수컷 다운 면을 조금 잃어버리긴 했지만(기분 탓이다) 길고 반지르르 윤기나는 털과 힘 있게 뻗어 있는 수염, 크고 까만 동그란 눈동자는 자타 공인 나를 귀공자라 부르기에 모자람이 없을 것이다.

중성화 수술은 대체 왜 하는 걸까. 어차피 나는 어지간한 암컷 고양이 따위에게는 관심도 없는데 말이다. 중성화 수술을 받지 않은 다른 수컷 고양이들을 보니 발정기가 되니까 이상한 굉음을 내기도 하고 마운팅이라 불리는 일명 붕가붕가를 하느라 이곳을 찾은 사람들의 눈살을 찌푸리게 했다. 조선시대 내시가 된 기분이 잠시 들긴 했지만 수술받을 때 한숨 푹 자고 일어난 것 외에는 고통도 없었고 몸이 나른해지거나 기력이 딸리거나 하는 것도 없었으므로 넓은 마음으로 그냥 인간들이 하는 꼴을 내버려 두기로 했다.

이곳 고양이 카페에 오는 사람들은 남녀노소 다양하다. 성인 기준 8천 원을 내고 들어와 음료수 한 잔을 공짜로 마시면서 나를 비롯한 고양이들과 한나절 놀다 가는데 그들의 공통점이 있다면 모두들 우릴 보며 즐거워한다는 것이다. 어른들은 우리를 만질 때 조심성을 기울인다. 머리를 쓰다듬거나 턱을 부드럽게 만지는데 그럴 때마다 서비스로 골골골골 그릉그릉 하는 소리를 내주며 눈을 살짝 감으면 귀엽다며 난리가 난다. 내가 볼 땐 너희들이 더 귀엽거든? 하여튼 단순한 인간들.

문제는 아이들이다. 아예 작은 아이들은 그냥 도망을 가버리면 못 쫓아오는데 가장 강력한 적군은 잼민이, 딩초라 불리는 초딩들이다. 하아…. 얘들은 정말 답이 없다. 도망을 가도 〈사탄의 인형〉 처키처럼 끝까지 쫓아온다. 무섭거나 두려운 건 아니지만 정말 귀찮다. 잼민이들은 우릴 장난감처럼 대한다. 볼을 잡아당기거나 꼬리를 잡고 흔들기도 하고 불편한 자세로 우릴 안으려고(마치 아기처럼) 주물럭대다가 우릴 떨어트리고 만다. 물론 우리는 개와 달라서 반사 신경이 뛰어나기 때문에 잼민들이들 품에서 떨어진다고 해도 다치는 일은 없다. 다만 귀찮을 뿐. 뭐 어쨌든 어른들이나 애들이나 우릴 보면서 욕하고 괴롭히는 사람은 하나도 없고 귀여워하고 즐거워하니까, 또 결정적으로 그들이 우리에게 츄르를 주니까 뭐, 적당히 선 지키면서 잘 지내 보자고.

나는 이곳 고양이 카페에서 가장 인기가 많은 고양이지만 가장 도도하고 비싸게 구는 고양이였다. 배가 고프거나 츄르를 먹고 싶거나 대소변이 마려울 때만 움직였고 그 외 시간에는 주로 높은 곳에 올라가 잠을 잤다. 고양이들이 원래 잠이 많다고는 하는데 나는 유독 더 심한 것 같다. 아주 가끔, 자는 게 지루해지면 바닥으로 내려와 사람들과 어울려 놀기도 했는데 5분 정도를 넘기는 일이 없었다. 사람들과 노는 것은 수준도 안 맞고 재미가 없었기 때문이다.

그러던 어느 날 평온한 나의 날들에 파열음이 들리기 시작한 건 그들이 이곳 고양이 카페에 등장하면서부터였다. 엄마와 두 딸이 이곳에 왔는데 처음엔 다른 고양이들과 잘 노는 것 같아 크게 신경 쓰지 않았다. 엄마는 커피를 마시며 고양이들을 그저 눈으로 바라보았고 중학생인 큰 딸은 우릴 조심스럽게 다루었다. 하지만 초딩인 작은 딸은 분명 가스나인데 머스마처럼 행동했다. 초딩답지 않게 힘이 세서 비만 고양이들을 한 손으로 들어 올리는가 하면(집어던지지 않은 게 다행이었다) 체구가 작은 고양이를 귀엽다며 끌어안았는데 너무 세게 안아서 쟤가 저 고양이를 터트려 죽일 셈인가 싶기도 했다. 나는 높은 곳에서 그들을 바라보며 절대로 저 초딩 여자애한테 잡히는 일만큼은 하지 말아야겠다고 다짐했다.

하지만 이 무슨 운명의 장난이란 말인가. 늘어지게 자고 일어나 목이 말라 바닥에 내려갔다가 정신없이 물을 먹고 있는데 뒤통수가 따끔해서 돌아보니 공포의 그 초딩 여자애가 날 보며 웃고 있었다. 내가 방심한 탓이었다. 급히 물만 먹고 튀려고 했으나 번개 같은 그의 손에 결국 잡히고 말았다.

"엄마! 언니! 얘 좀 봐! 얘가 젤 귀여운 거 같아!"

멋있다는 표현을 귀엽다고 하다니 역시 잼민이답군. 나는, 조금 주물럭거리다가 말겠지 하는 심정으로 모든 걸 체념한 채 순순히 녀석의 손에서 얌전히 있었고 녀석은 나를 번쩍 안아서 엄마와 중딩 언니에게 데려갔다.

"오 진짜 귀엽다 얘!"

"그러네 얘가 여기서 젤 귀여운 거 같네."

맨날 듣는 소리라서 별 감흥이 없었다. 그저 빨리 날 감상하고 바닥에 내려놓기를 바랄 뿐이었다. 내려놓기만 하면 쏜살같이 캣타워 꼭대기에 올라가서 너희들이 사라질 때까지 절대 내려오지 않으리라.

그때 초딩 딸이 청천벽력 같은 소리를 내뱉었다.

"엄마! 얘 우리가 데려가서 키우자."

으응? 방금 내가 뭘 들은 거지? 날…날 데려가서 키우겠다고? 이 고양이 카페에서 가장 인기가 많고 마스코트나 다름없고 이곳의 제왕인 나를 너희들이 데려가서 키운다고?

"그래! 그러자! 엄마 얘 우리가 데려가자!"

중딩인 큰 딸까지 거들고 나섰다. 아니 중딩이면 중딩답게 이성적으로 생각할 줄 알았더니 초딩이랑 같은 수준으로 나오면 어쩌잔 거냐.

"그럴까…. 얘 귀엽긴 한데 아빠가 반대하지 않을까? 아빠는 집에서 동물 키우는 거 싫어하니까."

어라? 엄마까지 왜 이러지? 당신은 어른이잖아! 제발 이성적으로 생각하라고! 난…난…난 당신들이랑 같이 살 생각이 전혀 없다고! 등줄기를 타고 식은땀이 흐르는 착각이 들었다(고양이는 등줄기에 땀샘이 없으므로 정말로 그냥 착각이다).

나는 이곳에서 만족스러운 삶을 살고 있었다. 불특정 다수의 사람들로부터 찬사 어린 시선과 감탄 서린 선망의 눈동자를 즐기면서. 여타 다른 고양이들로부터 부러움과 동경을 받으면서. 언제나 끊기지 않는 맛있는 사료가 넘쳐나고 야옹~ 골골골골 그릉그릉만 해주면 원하는 만큼의 츄르를 사람들로부터 언제든지 받아먹을 수 있었으며 공간이 넓어서 산책이나 조깅을 하기에도 좋은 이 고양이 카페에서의 안락한 삶을 죽을 때까지 누리고 싶었다. 그런데 난데없이 입양이라니! 그것도 저 성질 고약해 보이는 초딩 여자애네 집으로!

그러고 보니 이 고양이 카페는 입양이 가능한 곳이었다. 최근에도 고양이 몇몇이 고양이 운반용 케이지에 갇혀서 작별 인사도 못 하고 인간의 집으로 입양되어 사라지지 않았던가. 그 참사가 나에게 일어나지 말란 법이 없었거늘 난 어째서 태평하게 마음을 풀고 있다가 이런 위기를 맞게 되었던가. 내 스스로가 원망스럽고 후회되기 시작했다. 나처럼 잘생김과 귀여움을 동시에 가지고 있는 고양이는 더더욱 인간들의 입양 타깃이 되기 쉬운 것인데 너무 방심했다 내가. 저 잼민이랑 조금 놀아주면 그냥 날 놓아줄 거라고 쉽게 생각한 게 화근이었다. 하악질을 하거나 발톱을 세우고 까다롭게 굴거나 정 안되면 토하기라도 했어야 했다. 아…. 하지만 이 모든 게 지나간 일이니 이제 와서 후회한들 무슨 소용이 있겠는가.

마지막 남은 희망이라곤 저들의 아빠뿐이었다. 아빠가 집에서 동물 기르는 걸 싫어한다고 하니 제발 그가 원칙과 신념을 굳건히 지켜서 딸들의 요구를 묵살해 주기만 바랄 뿐이었다.

"아빠한테 언니가 말해. 언니가 또박또박 아빠를

잘 설득하면 되잖아 언니는 그래도 중학생이니까."

"그래 네가 아빠한테 전화해 봐. 엄마가 말하는 거보다 네가 말하는 게 더 통할 거 같아."

총대는 큰 딸이 매기로 한 모양이었다. 큰 딸은 전화기를 붙들고 아빠 번호를 누르기에 앞서 뭔가를 골똘히 생각했다. 강적이다. 치밀한 녀석이다. 아빠가 안 된다고 할 게 뻔하니까 그에 대한 반론을 준비하는 것 같았다. 나와, 초딩 여자애와, 엄마는 마른침을 삼키며 큰 딸에게 시선을 고정했고 드디어, 큰 딸이 버튼을 누르고 전화기를 귀에 가져다 붙였다.

수화기 너머로 들리는 통화 연결음을 들으며 나는 고양이 신께 기도했다. 제발, 제발! 이곳에서 계속 살게 해주세요! 저들에게 잡혀가지 않게 해주세요! 라고.

3. 안녕 나의 왕국.

띵딩 띠딩~딩~, 하는 통화 연결음이 들렸고 엄마와 큰 딸(이하 딩중이라 칭함), 작은 딸(이하 딩초라 칭함)을 대표하여 딩중이가 건 전화라 스피커폰으로 통화를 했기 때문에 그들의 대화는 나도 들을 수 있었다. 그들 셋은 아빠의 반응이 어떨지 기대 반, 걱정 반의 표정으로 긴장되어 있었고 나는 걱정 100%의 심정으로 딩초 팔뚝에 잡힌 채 그들의 통화 내용을 예의주시하고 있었다.

"아빠! 아빠! 집에서 강아지 키우는 건 안 된다고 했지?"

"절대 안 돼. 아빠 집 나간다고 분명히 말했다."

"그럼 고양이는 되지?"

헉! 이럴 수가! 이 딩중이가…. 전략을 잘 짰구나. 강아지 얘기로 시선을 돌리고 고양이 얘기로 어퍼컷을 날린 셈이었다. 어려운 말로 성동격서(聲東擊西) 전법이다. 수화기 너머의 아빠 역시 허를 찔린 듯 잠시 정적이 흘렀다. 그 틈을 놓치지 않고 딩중이가 쉴 새 없이 연타를 날렸다.

"지금 고양이 카페에 와 있는데 얘는 꼭 데려가고 싶어. 다른 애들이랑 얘는 달라. 엄청 얌전하고 애교도 많고 나 얘는 꼭 데려갈래. 고양이는 혼자서도 잘 놀아서 우리가 집 비우고 혼자 둬도 된대. 똥이랑 오줌도 지 화장실에서 싸고 모래로 덮는대 지 혼자서. 그래서 냄새도 안 나고 사람 귀찮게도 안

하고 예방접종도 한 애라서 병도 안 걸릴 거고 중성화 수술도 했대. 얘는 무조건 데려가고 싶어."

장래희망이 랩퍼인가? 숨 한 번으로 이 많은 양의 대사를 깔끔한 딕션(diction)으로 내뱉는 경지라니! 그런데 잠깐, 여기서 딩중이의 주장 몇 가지를 좀 짚고 넘어가고 싶다. 우선 나는 얌전하지 않다. 인간들 앞에서 얌전한 척할 뿐이다. 이곳 고양이 카페의 하루가 저물고 직원들이 퇴근하면 나의 세상이 펼쳐진다. 밤의 황제라고나 할까? 낮 동안 미뤄뒀던 산책 및 조깅을 하며 신체를 단련하기도 하고 자고 있는 고양이들 목덜미를 재미 삼아 냅다 물어버리기도 하며 신입 고양이 교육 및 인간들에게 받은 간식을 숨겨두고 혼자 먹으려 하는 싸가지 고양이를 색출하여 정신교육을 시키기도 한다. 그리고 애교가 많다는 건 다분히 전략적인 선택이었다. 그래야 츄르를 많이 얻어먹을 수 있기 때문이다.

집을 비우고 날 혼자 둬도 된다고? 하루 24시간 중에 잠을 자는 시간이 많긴 하지만 나 역시도 외로움을 느끼는 동물이다. 인간들이 이렇게 우리를 모른다. 대소변을 본 후 모래로 덮는 것은 조상님 때부터 내려오는 우리의 습성이라서 그런 것이지만 가끔 모래 덮기를 잊기도 한다. 그리고 가장 결정적인 건, 사람을 귀찮게 안 한다는 오해다.

우린 사람을 좋아한다. 사람의 손길이 좋아서 머리

쓰다듬으라고 대가리를 디밀기도 하고 배에 올라가 꾹꾹이 하는 것도 좋아한다. 우린 사람들이랑 노는 것도 좋아한다. 그들은 우리가 그저 쳐다보기만 해도 눈에서 꿀을 뚝뚝 흘리곤 하는데 그 모습을 보는 것이 재밌다. 예방접종을 해서 병에 안 걸릴 거라는 것도 잘못 알고 있는 것이다.

구토, 설사와 같은 내과 계통 질환이 있을 수도 있고 안과질환, 치주질환 등의 이상이 생길 수도 있다, 예방접종을 해도 말이다. 게다가 드물게는 헤어볼을 토하다가 급사하는 고양이도 있다. 배우 윤균상 씨의 고양이도 헤어볼을 토하다가 폐에 토사물이 들어가 폐렴이 와서 죽었다(헤어볼이란 고양이가 털을 핥으면서 어쩔 수 없이 털을 먹게 되고 이것이 몸속에 모여 있다가 주기적으로 토하는 것을 말하는데 토해 놓은 털 뭉치가 마치 공 같아서 붙여진 이름이다).

어쨌든 고양이도 인간과 같이 동물이고 동물이라면 필연적으로 생로병사(生老病死)를 피할 길이 없으니 예방접종 시키고 건강식 먹이고 운동 잘 시킨다고 해서 무조건 무병장수(無病長壽) 할 거라는 기대는 하지 않는 것이 좋다.

어쨌든 딩중이의 공격을 받은 수화기 너머의 아빠는 뜻밖의 전법에 당황한 듯 보였지만 곧 말을 이었다.

"알았어. 대신 고양이 똥 치우는 거 고양이 관리하는 거 등등 아빠가 신경 하나도 안 쓰게 할 자신 있으면 데려와."

아…아버님…집에서 동물 기르는 거 싫다면서요. 강아지는 안 되고 고양이는 되고 이게 말이 됩니까? 소신과 원칙이 딸의 공격 한 번에 이렇게 쉽게 무너지는 사람이라니 얘네들 아빠의 성품이 어떠한지 짐작이 되었다. 그래서 나는 더더욱 비참하고 앞날이 캄캄해지는 기분이었다.

아빠의 허락을 받아낸 두 딸은 환호성을 질렀고 너무 흥분한 나머지 딩초가 날 끌어안은 팔뚝에 힘을 주었기 때문에 숨이 막혔다. 이거 놔! 이거 놓으라고 이 딩초야! 하는 마음을 담아 간신히 목소리를 냈다.

"느…니…니야…옹…."

"어? 엄마! 얘 좀 봐. 앙뚜아도 우리 집 가는 거 좋대!"

하아…. 이게 어딜 봐서 좋다는 뜻이냐. 난감하다. 엄마는 곧장 날 입양하기 위한 절차를 밟기 위해 사장님을 찾았다. 사장님이 못내 서운한 말투로 차근차근 설명을 해주신다.

"우선 어머니, 얘를 입양하시려면 저희가 댁으로 실사를 나가요. 얘를 잘 키울 수 있는 환경인지 확인하는 절차구요, 책임비로 10만 원을 저희가 받습니다. 다른 애들은 5만 원 받는데 앙뚜아는 다른 친구들이랑은 달라서 10만 원을 받습니다."

"네 언제든지 실사 나오셔도 좋고 10만 원은 지금 내고 가겠습니다."

책임비가 뭡니까 대체. 그냥 내 몸값이 10만 원이라고 하세요. 말이 좋아 책임비지 그냥 10만 원에 팔려가는 것이었다. 그나마 다른 애들은 5만 원인데 나는 10만 원이니까 거기에서 우쭐함을 느껴야 하는 걸까. 내 인생, 아니 묘생은 어떻게 되는 걸까. 저 무시무시한 딩초의 핍박을 견디며 나는 제 명대로 잘 살 수 있을까?

"막상 앙뚜아가 입양 간다고 하니까 섭섭하긴 하네요. 앙뚜아를 유난히 좋아하는 저희 가게 단골손님이 계시거든요. 요 근처에서 개인병원을 하는 의사신데 앙뚜아 입양을 계속 고민하고 계셨어요. 하지만 먼저 입양의 뜻을 밝히셨으니 그분께는 제가 잘 말씀드리겠습니다."

사장님의 그 말은 듣지 말았어야 했다. 어쩔 수 없이 입양을 꼭 가야 하는 팔자라면 이왕이면 다홍치마라고, 부잣집으로 가는 게 좋을 것이었다. 개인병원을 하는 의사 집안이니까 최고급 사료에 최고급 츄르에 최고급 집에 장신구 주렁주렁 달고 주기적으로 미용실 드나들면서 럭셔리한 삶을 즐길 수 있지 않을까. 당장이라도 딩초의 뺨을 잡아당기며 "느

그 아부지 모하시노?" 하고 묻고 싶었다.

"하마터면 앙뚜아를 저희가 놓칠 뻔했네요. 저희가 잘 키우겠습니다."

"네 꼭 부탁드립니다. 이 친구가 저희 가게에서 제일 인기가 많았거든요. 오늘은 일단 돌아가시고 내일 저희가 앙뚜아 데리고 찾아뵙겠습니다. 저희도 이 일을 오랫동안 하다 보니 그냥 딱 보면 알아요. 우리 앙뚜아 잘 키워주실 거라고 생각됩니다. 원래는 실사를 나가고 그다음에 애들을 보내는데 내일 그냥 데리고 가서 실사까지 같이 하겠습니다."

"네 감사합니다."

엄마가 10만 원을 결제하기 위해 카드를 꺼내는 모습이 보였고 나는 모든 걸 체념했다.

그날 밤 이곳 고양이 카페에서는 나를 대신할 차기 대권 주자들이 제왕의 자리를 차지하기 위해 한바탕 혈투가 벌어졌고 나노스라는 뱅갈 고양이가 나의 자리를 물려받았다. 나는 그들이 싸우든지 말든지 파티를 하든지 난리를 치든지 상관하지 않고 그저 하염없이 창가에 앉아 네온사인이 반짝이는 시내 거리를 내려다보았다.

이곳에 내가 새끼 때 왔으니까 벌써 2년 정도 된 것 같다. 하긴 나 같은 우월한 외모와 자태로 그동안 수많은 입양의 위기를 뚫고 지금까지 버틴 것만 해도 하늘이 도운 것이다. 아직 살 날이 훨씬 더 많은 나로서는 단지 입양을 간다고 해서, 그 입양처가 의사 집안이 아니라고 해서 벌써부터 낙담할 필요는 없다는 생각이 들었다.

엄마와 딩중이는 착하고 순한 캐릭터다. 엄마는 일을 하지만 집에서 일을 하므로 하루 24시간을 거의 같이 있을 수 있다. 어떻게든 엄마한테 잘 보여서 그녀의 보호를 받아야 한다. 게다가 내가 먹을 사료, 츄르 그리고 화장실 모래 등 나에게 필요한 것들은 엄마가 구입할 가능성이 크다. 무조건 엄마한테 줄 서야 하는 이유다. 딩중이는 아무래도 딩초에게 공격을 받거나 안전한 도피처가 필요할 때 적극 필요한 존재다. 역시 잘 보여야 한다. 문제는 딩초다.

얘는 친구 잼민이들 사이에서 <진격의 최헐크>라는 별명으로 통한다고 할 만큼 뚱뚱하진 않은데 힘이 세고 성격이 드세다. 가장 큰 적이나 다름없다. 아빠는 변수다. 이미 집에서 동물 기르는 것을 싫어한다고 소문이 자자한데 뜻하지 않게 큰 딸의 기습을 받아 얼떨결에 입양을 허락하긴 했으나 날 좋아할 것 같지는 않다. 그냥 적당히 서로 선 넘지 않고 지내면 될 것도 같다.

"형님~ 내일 입양 잘 가슈~ 난 입양 같은 거 안 가고 여기서 평생 왕 노릇 하면서 행복하게 살랍니다. 여긴 이제 내 세상이 됐수다 음하하하."

거만하게 웃는 나노스가 이곳에서의 내 마지막 밤의 애틋함을 깨고 있었으나 이제 나의 시대는 갔으므로 그냥 그가 실컷 까불도록 내버려 두었다.

그리고 내가 입양 가고 불과 며칠 뒤, 나노스도 입양을 갔다는 소식을 엄마와 사장님의 전화를 통해 알게 되었다.

나노스 쌤통이다 캬캬캬하악~!!

4. 오늘부터 이곳은 내가 접수한다.

고양이 케이지에 갇혀 10여 분 정도 차로 이동한 것 같았다.

도착한 곳은 아파트였고 엘리베이터를 타지 않았는데 집 안으로 들어선 것으로 보아 1층에 있는 집이었다. 1층이면 탈출이 용이하다. 현관문만 열리면 바로 밖으로 나갈 수 있고 베란다 창문으로 뛰어내리는 것도 가능하다. 일단 집 층수는 매우 마음에 드는군. 기회를 봐서 자유를 찾아 나는 떠날 것이다. 비록 중성화 수술을 해서 수컷 구실은 못하겠지만 그래도 한 번 태어난 인생, 아니 묘생 큰 물에서 대자연을 즐기며 살아봐야 하지 않겠는가.

고양이 카페에 있을 때 유기묘 한 마리가 들어온 적이 있었는데 바깥세상이 어떠냐고 묻는 고양이들에게 그는 몇 수십 번 강조했었다. 세상 밖은 전쟁이라고. 집 떠나면 개고생, 아니 고양이 고생하는 것이고 주는 사료 먹고 따뜻하고 시원한 실내에서 예쁨 받고 사는 게 제일이라고. 하지만 난 그 말을 듣고 오히려 더욱 바깥세상을 나가고 싶은 욕구가 강해졌다. 안전한 곳에서 예쁨 받으며 인간이 주는 사료나 얻어먹으면서 편하게 사는 묘생은 정말이지 재미가 없을 것 같았다. 거친 광야에서 쥐나 새 등을 잡아먹으며 도전자들을 물리치고 천적과 싸워가며 강하게, 동물답게 사는 것이 나의 묘생 목표라면 목표다.

"어머! 그새 캣타워까지 준비하셨어요? 화장실까지 사셨네요?"

"네 당장 필요할 거 같아서 어제 오자마자 바로 주문해서 아까 왔어요."

"안심이네요~ 저희 앙뚜아 잘 부탁드려요~"

준비성이 철저한 엄마였다. 화장실이야 내가 아무데나 대소변을 보면 곤란해지는 건 결국 인간이니까 시급한 물건이긴 하지만 캣타워까지 준비했다는 말을 듣고는 마음에 감동의 물결이 일렁였다.

"이건 앙뚜아가 먹던 사료에요. 갑자기 사료를 바꾸면 안 먹을 수도 있어서 조금 가져왔어요. 사료 준비하시면 이거랑 섞어서 먹이세요. 그리고 처음엔 친해지는데 시간이 좀 걸릴 수도 있으니까 이거 조금씩 주시면서 친해지세요. 앙뚜아가 제일 좋아하는 츄르에요."

츄르? 츄르라고? 갑자기 배가 고파졌다. 거 먼 길 왔는데 일단 츄르 하나 먹고 시작합시다!

고양이 카페 사장님이 돌아가고 케이지 문이 열렸다. 쏜살같이 튀어 나가 "츄르를 내놓아라 닝겐!" 하며 외치고 싶었지만 이 집에서의 첫 대면을 그렇게 방정맞게 했다가는 기싸움에서 밀릴 수도 있겠다는 생각이 들었다. 나는 우아한 존재고 이 집은 오늘부터 내가 접수할 것이며 어차피 이곳을 탈출하기 전까진 엄마의 도움을 받을 수밖에 없었기 때문에 최대한 신경을 거스르지 않게 할 필요도 있었다. 나는 콧구멍을 벌름거리며 세상 급할 것 없이 천천히 케이지 밖을 나왔다. 엄마가 눈에서 꿀을 뚝뚝 흘리며 나의 행동을 지켜보고 있었고 츄르는 아주 가까이에 있었다.

꿀꺽! 하고 침이 넘어갔다. 츄르 하나를 잽싸게 물고 구석으로 튈까 하는 생각이 들었지만 내가 무슨 거지새끼도 아니고 어차피 저건 다 내 것이며 첫인상을 우아한 고양이로 각인시킬 필요도 있었기 때문에 눈으로 슬쩍 보고 말았다.

나는 사방에서 날아드는 낯선 냄새를 맡았다. 고양이의 후각은 사람의 10배 이상이다(하지만 개새끼, 아니 개들보다는 후각 능력이 떨어진다는 사실이 비통하다). 사람은 사람 개개인 특유의 냄새가 있다. 일명 체취라고 하는 건데 우선 나는 엄마의 냄새를 기억해 두었다. 아무리 생각해도 나에게 가장 필요한 존재가 엄마니까 그녀가 어디에 있는지 실시간으로 냄새 추적을 해야 했기 때문이다. 쉴 새 없이 코를 벌름거리면서 나는 천천히 집 구석구석 탐험을 했고 장소와 냄새를 하나로 묶어 머릿속에 저장했다.

우선 이 집은 신축 아파트는 아니었다. 신축 아파트 특유의 냄새가 없기도 했지만 시멘트 냄새를 맡았을 때 20년 정도는 된 것 같았다. 거실에서 주위를 스윽 보니까 평수는 서른몇 평쯤 되겠다. 잘 사는 것도 아니고 못 사는 것도 아닌 애매한 중산층 정도로 보면 되겠구만. 거실 한 쪽 벽면에는 가족사진이 잔뜩 붙어 있었는데 모두 사진관에서 찍은 것들이고 딸 둘의 성장 모습이 담겨 있는 것으로 보아 매년 특정 날짜에 찍는 것 같았다(이듬해 이들의 가족사진에 내가 들어가게 된다. 가족사진 이야기는 다음에 자세히 하겠다).

천천히 주방 쪽으로 걸어갔다. 4인용 식탁이 놓여 있는데 내가 폴짝 뛰어오르기에 부담 없는 높이다. 싱크대 역시 뛰어오르는데 전혀 문제가 없을 것 같았다. 시험 삼아 한 번 올라가 볼까? 나는 뒷다리에 힘을 주고 어렵지 않게 싱크대 위로 사뿐히 올라갔다. 손님 온다고 설거지는 다 해놓은 것 같았는데 수도꼭지에서 물이 똑똑 떨어지고 있었다. 때마침 목이 말라 나는 떨어지는 물방울을 혀를 날름거리며 받아먹기 시작했고 "어머! 너 이런 거 좋아하는구나!" 하고 엄마가 뒤에서 소리를 질러서 진짜 깜짝 놀랐다. 싱크대 바로 옆은 화구 4개짜리 가스레인지가 있었다. 저기엔 절대로 올라가지 말아야 한다. 불을 끈 지 얼마 되지 않아 열기가 남아 있는 가스레인지에 잘못 올라갔다가는 내 멋진 털 태워 먹기 딱 좋다.

그 옆은 주방에 붙어 있는 베란다였고 세탁기가

있었으며 작은 창문이 있지만 닫힌 채 오랜 시간 열어본 흔적이 없었다. 이곳으로 탈출하는 건 기대하지 말자. 주방에서 나와 작은방 1로 들어갔다. 한쪽 벽면에 BTS 사진이 잔뜩 붙어 있었고 책상 위엔 컴퓨터가 있는데 그 앞에 액체 괴물, 일명 액괴가 있어서 여기가 잼민이 딩초 방인 것을 쉽게 알수 있었다. 방 냄새를 맡으면서 나는 딩초의 체취를 저장했다. 어둠 속에서도 이 냄새가 다가오면 어디로든 도망가야 한다. 딩초 방을 나와 거실 화장실로 들어갔다. 구축 아파트답게 욕조가 있었는데 나 목욕 시킨답시고 여기서 물세례 받을 걸 생각하니 요도가 움찔거린다.

다음은 안방이었다. 방 한복판에 더블침대가 놓여 있었고 그 옆은 아주 큰 장롱이 있었는데 이 집에서 가장 높은 위치임에 틀림없었다. 비상상황에 놓였을 때 저 위로 피신하면 안전을 보장받을 수 있을 것 같았다. 침대에서 저 장롱까지 뛰어오를 수 있을까? 시험 삼아 뛰어올라볼까 하다가 엄마가 뒤에서 날 쳐다보고 있었으므로 관뒀다. 정말로 비상상황에 몸을 숨길 은신처이므로 괜히 장소를 노출시켜봤자 득 될 것이 없다. 장롱 반대편 벽은 한쪽 벽면이 온통 책이다. 책이 진짜 엄청 많았다. 이 집 아빠는 작가인가?(후에 알고 보니 작가는 아니고 회사원 겸 작가 지망생이라고 한다. 작가 아무나 되냐? 진짜 웃기는 양반이네 훗!)

안방에도 작은 화장실이 있었는데 냄새를 맡아보니 담배를 피운 흔적이 있었다. 딩초 딩중이가 담배를 피지는 않을 거고 엄마 체취에서도 담배 냄새는 맡아지지 않았다. 200%의 확률로 이 집의 흡연자는 아빠뿐인데 아니 요즘 세상에도 집에서 담배를 피우는 사람이 있나? 어디서 쌍팔년도 가장 흉내를 내고 있냐. 아직 아빠를 만나보지는 못했지만 정말 상식 이하의 인간임이 분명해 보였다.

다시 거실로 나왔다가 현관 옆 작은방으로 들어갔다. 작은방 1이 딩초의 방으로 확인되었으므로 이 방은 딩중이의 방이다. 들어가자마자 전신거울이 옆에 있어서 내 모습을 스윽 한번 훑어봤다. 역시 오늘도 멋지구나. 특히 오늘따라 나의 긴 털이 유난히 매끈거리고 있었고 컬이 진 R값 또한 이상적이었다 (R값이란 곡률 정도를 말한다. R값이 뭔지 몰라서 녹색창을 검색할 인간들을 위해 친절히 설명해 준다).

간소한 책상 위에는 노트북과 화장품들이 놓여있었다. 요즘 딩중이들은 옅은 화장 정도는 다 한다더니 얘도 예외는 아닌가 보다. 책상 반대쪽 벽에는 2층 침대가 있었는데 시중에서 파는 디자인이 아니라서 자세히 다가가 보니 직접 제작한 침대였다. 나뭇결을 보니 편백나무가 확실해 보였고 냄새를 맡앉는데 친환경 페인트가 발라져 있었다. 그 비싼 편백나무에 친환경 페인트까지 발라 만든 2층 침대라면 분명 특수하게 제작된 물건이 틀림없었다(나중에 안 사실인데 이 침대는 직업이 목수인 이들의 할아버지가 만들었다고 한다).

원래는 1층에도 침대가 있고 2층에도 침대가 있었을 것이지만 1층은 침대 프레임을 빼서 딩초 방으로 갔고 그 자리에 푹신한 의자와 작은 옷장이 있어서 벙커 침대 형식으로 쓰고 있었다. 2층은 높아서 맨바닥에서 뛰어오르기에는 벅차 보였으나 책상에서 침대까지 멀리뛰기를 하면 충분히 2층에 닿을 수 있는 거리였다.

딩중 방에서 나와 가장 중요한 거실 베란다로 나갔다. 이 집은 베란다 확장을 하지 않아서 거실과 베란다가 엄격히 분리되어 있었고 베란다 창문에 나의 캣타워가 놓여 있었다. 단숨에 캣타워 꼭대기로 올라갔다.

"뚜아야~ 캣타워 마음에 들어?"

시골 땅부자에게 쌍화탕을 두 배 가격으로 눈탱이 치려는 다방 마담처럼 엄마는 세상 다정한 말투로 비음을 섞어가며 나에게 말했다. 이 정도면 뭐…나쁘진 않구먼. 캣타워에 올라 창밖을 내다보니 바로 앞이 화단이고 사람들의 움직임은 적었으며 작은 길 건너에 지상 주차창이 있었다. 창문을 통해 탈출을 한다면 저쪽 주차장까지는 진출하지 말고 작은 길을 따라 수풀이 우거진 화단에 숨어 있다가 어둠을 틈타 빠져나가야 할 것이었다.

그런데 여기서 잠깐. 아까 엄마가 나를 어떻게 불렀지? 뚜아? 뚜아라고? 앙,은 어디다 팔아 잡쉈나? 내 이름은 앙뚜아지 그냥 뚜아가 아닐 텐데?(이 집에 와서 이 글을 쓰는 지금까지 앙뚜아를 앙뚜아로 부르는 사람은 없었다. 뚜아, 뚜뚜루, 뚜왕, 심지어 자기들의 성을 붙여 최뚜아, 체뚜아, 최뚜르 등등하아…. 내 멋진 이름까지 이렇게 소멸되는 것인가. 앙뚜아를 앙뚜아라 부르지 않는 너희들은 아비를 아비라 부르지 못하는 홍길동 짝퉁이냐 뭐냐.)

집 탐험을 하느라 체력을 소진했더니 배가 고팠다. 거실 한쪽 구석에 밥그릇과 물그릇이 나란히 놓여 있어서 나는 천천히 그쪽으로 걸어갔다. 우선 밥을 좀 먹고 어디 구석에 가서 잠을 좀 잔 후에 다음 플랜을 짜봐야겠다,고 생각하며 나는 밥그릇에 코를 박고 사료를 먹었다.

으드득 아드득하면서 사료 씹는 소리 외엔 적막감이 흐르고 있었고 소파에 앉아 나에게서 시선을 떼지 않는 엄마의 존재를 느끼며 나는 열심히 사료를 먹었다. 새끼 입에 밥 들어갈 때가 제일 행복하다는 것이 인간 세상 부모의 마음이다. 고양이도 마찬가지다. 새끼 입에 쥐새끼 뒷다리 들어갈 때가 제일 행복하다. 사료 먹다가 슬쩍 엄마를 봤는데 바로 그런 표정이었다. 마음이 짠해지면서 어쩌면 이 집은 나를 사랑하게 될지도 모른다는 생각이 들었다. 내가 이 집을 사랑하게 될지는 두고 볼 일이지만.

고양이는 개와 다르다. 개에게 밥을 주면 개는, 나에게 밥을 주는 걸 보니 주인님은 좋은 사람이다,라고 생각을 하지만 고양이에게 밥을 주면 고양이는, 나에게 밥을 주는 걸 보니 나는 좋은 고양이다,라고 생각한다. 고양이는 자기중심적으로 세상을 바라본다. 그리고 그것이 고양이의 매력,이라고 우겨본다.

배불리 사료를 다 먹을 즈음, 어디 가서 짱박혀 자야 하나 가늠하고 있을 때 현관 도어록 비번 누르는 소리가 들렸다. 얼마나 다급했으면 자기네 집인데도 비번을 한 번 틀려서 다시 누르는 소리가 들렸다. 그러고는 문이 벌컥 열렸고 괴성과 함께 딩초가 들어왔다.

"왔구나! 드디어 왔구나!"

매고 있던 책가방을, 돈 뺏으러 다가오는 깡패에게 집어던지듯 냅다 아무 데나 집어던진 딩초는 나를 향해 돌진해 왔고 나는 그대로 다리가 얼어붙어 눈만 커진 채 아무것도 할 수가 없었다. 정말로 이 딩초는…진격의 최헐크였다.

5. 파양, 위기인가 기회인가.

진격의 최헐크 딩초는 나를 어떻게 대할지 아직은 어설픈 모습이었다.

마음 같아서는 주물럭 주물럭 끌어안고 뽀뽀하고 괴롭히고 싶지만 내 성격 파악이 아직 안 되었으므로 자제하는 듯 보였다. 서로 적당한 거리를 둔 채 나는 그의 행동을 예의주시하며 사료를 먹었고 딩초는 나의 빈틈을 노려 언제라도 낚아채려는 듯이 매의 눈으로 날 쳐다보고 있었다.

태어나서 한 번도 주변 상황을 신경 쓰며 밥을 먹어본 적이 없었기 때문에 살짝 피곤하긴 했지만 야생 고양이들, 그리고 고양이의 본능이란 항시 언제 어디서 적이 나타날지 모른다는 긴장상태를 유지하고 있는 게 맞긴 하다. 잊고 있었던 나의 본능을 일깨워준 딩초에게 감사해야 하나? 나는 딩초를 곁눈질하며 천천히 사료를 먹었다. 아드득 아드득, 우드득 우드득. 밥을 다 먹으면 딩초가 분명 날 가만두지 않을 것이므로 일부러 천천히 식사를 하고 있는데 도저히 못 참겠는지 딩초가 엉덩이를 들썩이더니 나에게 바짝 붙어왔고 나는 깜짝 놀라 두어 걸음 물러나 경계태세를 취했다.

"밥 내가 줄게 뚜아야."

딩초는 고사리 같은 손으로 사료를 하나씩 집어서 나에게 내밀었고 나는 딩초와 원만한 관계를 유지하고 싶었으므로 순순히 그의 손바닥에 올려진 사료를 하나씩 먹었다. 작고 하얀 손, 그리고 활짝 웃는 얼굴, 행동이 조금 거칠어서 그렇지 이 딩초 귀여운 면이 있다. 앞으로 잘 지내보자, 제발. 딩초랑 아직까지는 신사(?)답게 놀고 있을 때 딩중이가 학교에서 돌아왔고 엄마가 문득 생각났다는 듯이 말했다.

"얘들아 뚜아 털 치우자. 아빠가 이런 거 엄청 싫어하니까 청소기 돌리고 돌돌이로 뚜아 털 보이는 대로 다 제거해."

고양이는 털을 몸에서 내뿜는다. 어쩔 수 없다. 특히 나 같은 페르시안 친칠라 종은 털이 길기 때문에 더더욱 털을 많이 내뿜는다. 그건 고양이의 특징이라서 우리를 모시는 인간들은 그걸 감수하고 같이 살 생각을 해야 한다.

저녁 6시가 되자 이 집 아빠가 들어왔다. 그때 나는 배불리 밥을 먹은 후 거실 구석에서 휴식을 취하는 중이었고 엄마와 두 딸은 청소를 마친 상태였다. 주위를 둘러보니 바닥에 내려앉은 털은 보이지 않았다. 청소를 잘 하는 여자들이구만.

"저 털북숭이가 앙뚜아인가?"

뭐? 털북숭이? 아니 고양이를 뭘로 보고 털북숭이라니! 그리고 내가 앙뚜아인걸 보면 모르나? 이 집에 동물이라곤 나밖에 없는데 딱 보면 난 줄 알아야지 굳이 묻는 건 대체 무슨 심보람?

그와 눈이 마주쳤다. 나는 그의 털북숭이 발언에 개빡, 아니 고양이 빡친 상태였기 때문에 할 테면 해보라는 식으로 째려봤지만 그는 날 스윽 한번 훑어보고는 더 이상 관심 없다는 듯 안방으로 들어갔고 나 역시도 아빠에 대해서는 그다지 흥미가 없었다. 어차피 아침에 나갔다가 저녁에 들어오는 사람이고 집에서도 어떤 특별한 퍼포먼스를 보여줄 것 같지 않았기 때문이다. 그가 나한테 츄르를 주는 것도 아니고 다만, 그가 벌어오는 돈으로 내가 먹을 사료랑 용품들을 사니까 약간의 고마움을 느끼긴 해야 할 텐데 지금 같아서는 그런 작은 고마움조차 느끼기 싫었다.

하긴, 내가 잘 생기고 귀엽고 멋지니까 당신들이 나에게 공물을 바치는 거고 그걸 내가 맛있게 먹어주면 그 모습을 보는 당신들이 더 행복할 테니까 딱히 뭐 내가 엄청나게 고마워할 필요까진 없어 보이기도 했다.

옷 갈아입고 나온 아빠는 냉장고에서 맥주를 꺼내고 엄마가 만들어 놓은 소시지 야채볶음을 접시에 덜어서 맥주잔과 함께 가지고는 거실 좌식 테이블에 앉았다. 대단한 술꾼이다. 저녁밥 대신 술을 먹다니. 나는 살짝 긴장이 되었다. 고양이 카페에 있을 때 입양 갔다가 파양되어 되돌아온 고양이가 있었다. 그 집 아빠가 술을 너무 좋아하는데 문제는 술 취하면 개망나니가 된다는 사실이었다. 물건들을 부수다가 그 고양이를 벽에다 집어던져서 무지개다리 건널 뻔했다고.

설마 이 집 아빠도 술 먹고 개 되는 거 아녀? 일단 멀찌감치 피해 있도록 해야겠다. 엄마가 맥주 안주를 해주고 두 딸들도 아빠가 술 먹는 모습을 아무렇지도 않게 보는 걸로 봐서는 딱히 술 먹고 폭력적이 될 것 같지는 않았지만 그래도 모르니까 일단은 지켜보자.

그는 TV를 켠 후 곧바로 특정 채널 번호를 눌렀고 그 채널에서는 곧 프로야구가 시작됐다. 아빠는 이글스의 팬이었다. 그래, 이글스의 팬이라면 맨 정신에 경기 보는 게 힘들긴 하지. 그러고 보니 맥주를 마시며 야구를 보는 그의 표정이 무척이나 서글프고 한이 서려 있는 것 같기도 해서 짠한 마음이 들었다. 이글스 팬은 보살 팬으로 알려져 있다. 다른 팀 팬들로부터 "너 화나 이글스 팬이냐?"라는 비웃음을 견디고 다 잡은 경기를 어처구니없는 실책이나 나사 빠진 플레이로 놓치는 모습을 보면서도 끝까지 선수들에게 박수를 쳐주는 사람들.

스토브 리그 때 전력 보강을 하지 않아도 "믿는 구석이 있었쥬." 하면서 쓴웃음을 짓는 그들. 압도적인 패수(敗數)로 단골 꼴찌를 할 때마다 "내년엔 잘 허겠쥬." 하면서 돌아서 몰래 눈물짓는 그들이,

정녕 보살이 아니고 무엇이더냐.

나는 야구 경기와 아빠의 모습을 번갈아 보며 아낌없이 아빠에게 연민의 표정을 보냈다. 그리고 이 날만큼은 무슨 일이 있어도 이글스가 승리하길 바라…려고 했는데 상대가 위즈였다. 위즈는 우리가 살고 있는 수원을 연고로 하는 팀이다. 아빠는 왜 위즈 팬이 아니라 이글스 팬인 걸까(몇 년 뒤 아빠는 이글스의 3년 연속 꼴찌가 확정되던 날 과음을 하고 집에 들어와 안방 화장실에서 몇 시간 동안 오열과 통곡을 한 후 위즈 팬으로 변절했고 그다음 해부터 자신과 이름이 같은 위즈의 내야수 유니폼을 누군가로부터 선물 받고는 그걸 입고 그 해 내내 수원 야구장을 다녔다).

경기는 3회에 이미 위즈의 승리로 기울어 가고 있었다. 한숨을 푹 내쉰 아빠가 맥주를 입으로 가져가려던 찰나 흠칫하고 놀라는 표정을 지었다. 응? 무슨 일이지? 나도 궁금해서 몇 발자국 아빠 쪽으로 걸음을 옮기다가 나 역시 놀라고 말았다. 아빠가 맥주잔에서 손가락을 넣어 내 털 몇 개를 꺼내고 있었기 때문이다.

내 털을 꺼낸 그는 이게 고양이 털이 맞는지 다시 한번 확인하려는 듯 거실 천정 조명에 비춰 보는데 점점 동공이 커지고 있었다. 그의 얼굴에 당혹감이 스쳐 지나갔다. 물티슈 하나를 뽑아 내 털을 닦아낸 그는 본인의 옷을 내려다보았다. 하필이면 까만색 추리닝을 입고 있었던 지라 옷에 잔뜩 달라붙은 고양이 털이 마치 털 장식을 한 듯 빛나 보이기까지 했고 그의 표정은 일그러져 가고 있었다. 그가 허공을 살피기 시작했다. 그의 시선을 따라 나도 허공을 살피기 시작했다.

아…허공은 허공이 아니었다. 어느 유명 가수의 공기 반 소리 반 표현을 잠시 빌려다 쓰자면 공기 반 털 반이었다. 긴 털 작은 털 곱슬 털 뻣뻣 털 무광 털 유광 털…각양각색의 털들이 공중을 떠다니고 있었다. 엄마와 두 딸들이 열심히 청소를 했지만 그건 어디까지나 바닥에 내려앉은 털들에 국한된 것이었다. 아빠의 표정은 당혹감에서 분노로, 분노에서 체념으로 옮겨가고 있었다. 체념한 그의 눈이 나를 바라보았고 나는 괜히 죄지은 고양이처럼 움찔했다.

이…이보시오. 고양이가 털 빠지는 게 이상한 일도 아니고 나더러 어쩌란 말입니까….

그가 정상적인 사고를 할 줄 아는 인간이라면 나를 원망해서는 안 되는 것이었다. 고개를 푹 숙인 그는 잠시 뭔가를 골똘히 생각하다가 담배를 챙겨 밖으로 나갔고 그 사이 이글스는 극적인 동점을 만들고 있었다. 아빠가 돌아왔을 때 이글스가 동점 만든 것에 고무되어 나를 원망하는 걸 멈췄으면 좋겠다. 밖에서 돌아온 아빠한테서 진한 담배 냄새가 났다.

"얘들아 거실로 좀 나와 봐."

영문도 모르고 거실로 나온 두 딸들은 어리둥절한 채로 아빠를 바라보았고 무슨 일인가 싶어서 엄마까지 나왔다.

"너네 갖고 싶은 걸 말해 봐. 비싼 것도 괜찮아."

뜻밖의 발언에 신이 난 두 딸들은 그것이 나를 다시 돌려보내려는 수작인지도 모르고 딩중이는 아이폰, 딩초는 닌텐도를 외쳤다. 아빠도 만만치 않은 사람이다. 두 딸들이 원하는 물건으로 현혹시킨 후 본인의 목적을 달성하려는 저 야비함을 보라.

"아이폰…닌텐도…라…."

두 딸들은 염원하던 물건을 손에 넣을 수 있을지도 모른다는 설렘에 한껏 들떠서 샛별보다 빛나는 눈으로 아빠를 바라보고 있었다. 아빠의 뜸 들이기 신공은 만렙이었다. 어디서 저런 필살기를 익혔던 걸까.

"너희들. 아이폰, 닌텐도 개비싼 거 알고 있지?"

"알지 알지."

"그걸 사주고 나면 아빠는 몇 달 동안 술 못 먹는 것도 알고 있어? 돈이 없어서."

"알지. 하지만 아빠 술 안 먹으면 좋은 거 아니야? 술이 뭐가 그리 좋다고."

"없던 일로….

"아냐! 아냐! 아빠 미안해!"

"흠흠. 아빠가 정말 돈은 없지만 큰맘 먹고 사랑하는 두 딸을 위해서 아이폰이랑 닌텐도를 사줄까? 하는 생각을 하고 있어."

"오~"

두 딸들은 침까지 삼켜 가며 한껏 흥분 수위를 높여가고 있었다.

"그런데 말이야…. 그 비싼! 그 비싸디 비싼! 비싸기 짝이 없는! 그 아이폰이랑 닌텐도를 사주는데…에…그 뭐냐…조건이 하나 있단 말이지."

"뭔데! 뭐야! 빨리 말해!"

최고조로 몸이 달아오른 두 딸들은 그 어떤 조건을 걸더라도 아이폰과 닌텐도를 가질 수만 있다면 그 무엇이든 하겠다는 듯이 아빠의 입을 바라보았다.

"뚜아를 다시 고양이 카페로 보내자."

나, 엄마, 딩중, 딩초의 마음속에 저마다 하나씩 큰 돌이 내려앉는 느낌이었다. 엄마는 어이없다는 듯이 팔짱을 꼈고 딩초와 딩중이는 충격으로 말을 잇지 못했다.

하지만 나는 보았다. 그 와중에 딩중이와 딩초의 눈빛이 흔들리고 있음을. 그리고 나는 들었다. 딩중이와 딩초가 아이폰과 닌텐도 그리고 나를 놓고 저

울질하느라 머리 굴리는 소리를.

그리고 나는 슬펐다. 원하지 않던 입양이었다. 고양이 카페는 나의 왕국이었다. 평온하게 잘 살고 있었고 영원한 안락함을 꿈꾸고 있었다. 물론 이 집으로 입양을 온 이후에는 인생, 아니 묘생 목표를 바꿔서 탈출 후 자유로운 영혼으로 더 큰 세상을 활보할 꿈을 꾸고는 있지만 어쨌든 그들이 고양이 카페에 등장하기 전까진 나의 생활은 즐겁고 행복했었다. 다시 그때로 돌아가는 것뿐이다. 예전의 행복했던 그때로 말이다. 그런데 왜, 대체 왜, 마음이 아픈 걸까. 버림받는다는 기분 때문인가. 이유가 어찌됐건 나를 길바닥에 버리는 것도 아니고 다시 예전의 그때로 돌아가는 것뿐인데 나, 대체 왜 슬픈 걸까.

나의 이런 기분을 알 리가 없는 딩중이와 딩초는 나 대신 아이폰과 닌텐도를 선택할 것이 분명했다. 슬프지 말자. 괜찮다. 괜찮을 것이다. 돌아가자, 나의 왕국으로. 나는 그냥 예전의 행복했던 나의 생활로, 나의 터전으로 다시 돌아갈 기회를 얻은 것이다. 그렇게 생각하자.

그때 딩초가 천천히 입을 열었고 우리 모두는 그 아이의 작은 입술을 바라보았다.

6. 선 넘은 묘권 침해.

"뚜아는 이미 우리 가족이야. 세상에 가족을 버리는 사람이 어딨어?"

우리…라고 했다. 딩초 입에서 우리,라는 말에 심장이 덜컹, 하고 내려앉았다. 가족이라고 했다. 내가 이 집 식구들 안에 포함된다는 뜻이다. 작고 어리고 천방지축인 줄로만 알았던 이 딩초가 날 생각하는 마음의 크기가 이 정도였다. 딩초가 이미 닌텐도를 포기하고 날 선택하는 발언을 한 이상 이 타이밍에 딩중이 혼자 날름 난 아이폰, 하고 말할 순 없을 것이다.

"맞아. 우리는 뚜아 포기 못해. 아빠가 이미 허락을 했고 뚜아는 우리 가족이 됐어. 이제 와서 다시 보내자는 게 말이 돼? 절대 안 돼."

감동의 쓰나미가 몰려왔다. 두 딸은 그토록 갖고 싶었던 아이폰과 닌텐도 보다 내가 더 소중했던 것이다. 아빠도 물러서지 않고 간사한 혀 기술을 계속해서 남발했다.

"아이폰 필요 없어? 네 친구들 중에 아이폰 없는 애들이 없다며. 최신형으로 사줄라 그랬는데. 넌 닌텐도 안 갖고 싶어? 닌텐도만 있으면 너 학교에서 인싸되는 건 시간문제야."

그 아비에 그 자식이라고 했던가. 딩중이와 딩초는 평상시 으르렁거리며 싸우다가도 이럴 때는 세상 둘도 없는 자매였다. 그들은 힘을 합쳐 아빠의 간교

한 뱀혀에 단일대오로 대항했다.

"아이폰 사줘. 닌텐도도 사줘."

"그럼 뚜아 다시 보내는 거지?"

"안돼."

"그럼 아이폰이랑 닌텐도는?"

"사줘."

"그럼 보낸다?"

"싫어 안돼."

"그럼 아이폰이랑 닌텐도는 없던 일로?"

"있던 일로. 사줘."

"장난 똥 때리나 이 자식들이 진짜."

"뚜아는 절대 못 보내. 아이폰이랑 닌텐도는 그냥 사줘. 조건 없이 그냥."

"으응?"

일순간 아빠가 휘청거렸다. 이건 전혀 상상할 수 없었던 전개였다.

"아빠가 아이폰이랑 닌텐도 얘기를 꺼냈으니까 그냥 사줘. 앞으로 술 먹지 말고 그냥 사줘. 아빠 말대로 내 친구 중에 아이폰 없는 애들이 없어. 그리고 얘도 닌텐도 얼마나 갖고 싶었는지 알잖아. 아빠는 딸들이 그렇게 갖고 싶어 하는 것도 못 사줘?"

"아니 얘기가 왜 그렇게 가?"

"아빠는 술이 중요해 딸들이 중요해?"

"물론…딸들이 중요하지."

"그러니까 사줘."

이게 대체 무슨 논리인가. 하지만 아빠와 딸의 대화가 꼭 논리적이어야 하는가에 대한 문제는 생각해 볼 필요가 있다. 아빠도 딩중이의 발언이 궤변에 가깝다는 것을 알고 있을 것이다. 하지만 상대는 딸이다. 딸을 상대로 법정 드라마에서나 볼 법한 논리 대결이 무슨 의미가 있을 것인가. 아빠는 괜히 말 꺼냈다가 나는 나대로 못 보내고 거액을 쓰게 생겼으며 그 때문에 당분간 술값 부족 사태를 겪을 위기에 처하게 됐지만 이런 걸 자업자득이라고 하는 것이고 어설프게 도끼질하다 제 발등 찍은 격이다. 쌤통이다.

"뚜아 온 지 얼마나 됐다고 벌써 이래? 왜 그러는 건데."

엄마가 최후의 일격을 날리고 있었고 이걸로 게임은 끝나는가 싶었다. 아빠는 하소연하듯이 울먹이며 말했다.

"털이…털이 엄청 떠다니잖아. (크흡)내 옷 좀 봐봐 이게 다 털이라구. (훌쩍)그리고 아까 맥주잔 안에도 털이 들어갔었어. 이건 보통 심각한 문제가 아니야."

"아니 그럼 고양이가 털 달린 짐승인데 어쩔 수 없는 거지. 이제 와서 다시 고양이 카페로 보내자는 게 말이 돼?"

딱히 논리적인 것 같지는 않지만 어쨌든 엄마도 세게 나오자 아빠는 딱히 반박할 말을 찾지 못해 궁지에 몰린 새끼 쥐처럼 입을 다물었다. 하지만 엄마는 알고 있었다. 쥐도 궁지에 몰리면 고양이를 문다는 사실을. 고양이 세계에서는 쥐를 절대 궁지로 몰지 않는다. 빠져나갈 틈을 일부러 줘 놓고는 쥐가 오롯이 탈출하는 데에만 집중하게 만들어 놓고 공격한다. 공격이라기보다는 그냥 가지고 논다는 표현이 더 맞을 것 같다.

엄마가 아빠를 가지고 노는 건 아니지만 어쨌든 궁지에 몰린 아빠에게 숨 쉴 틈을 주기 위해 엄마는 한 가지 제안을 했다. 하지만 그 제안은 나로서는 도무지 받아들일 수 없는 것이었다.

"털이 문제라면 내일 당장 애견샵 가서 뚜아 털 깎을게 그럼 됐지?"

아니다. 그러면 안 된다. 나 지금 군대 갑니까? 내 수많은 매력 중에 길고 윤기나는 이 멋진 털이 단연 으뜸인데 이걸 자른다는 것은 심각한 인권 침해, 아니 묘권 침해이다. 짧은 털의 페르시안 친칠라를 상상해 보라! 쌍꺼풀 짙게 진 소지섭(그래도 멋질 것 같…), 트로트 부르는 BTS(아…트로트도 잘 부를 것 같…), 적당한 표현이 떠오르지 않는다. 진짜 멘붕이다. 어쨌든! 이건 절대 인정할 수 없는 상황이다.

"좋아! 그럼 일단, 털 빡빡 미는 걸로 이쯤에서 훈훈하게 마무리하자."

아빠는 큰 한숨을 내쉬며 이렇게 말했고 사실 그가 선택할 수 있는 선택지는 없었다. 나는 엄마를 바라보았고 엄마도 나를 바라보았다. 우린 닿을 듯 말 듯 한 곳에서 서로를 바라보는 견우와 직녀 같았다. 그녀의 눈은 동정으로 가득 찼고 나의 눈은 절망으로 가득 차 있었다.

"마무리라니? 내 아이폰은?"

"응?"

"그러게! 내 닌텐도는?"

"으응?"

두 딸들은 집요했다. 내 털을 밀어버리는 조건으로 파양 사건이 종결되자 그들은 우연히 굴러 들어온 이 기회를 놓치지 않으려 아빠를 압박하는 데 박차를 가하였다.

"아이폰이라니? 닌텐도…라니? 태어나서 처음 듣는 단어인데…. 아이폰이 뭐임? 닌텐도는 또 뭐고?"

어설프기 짝이 없는 이 개드립은 대체 뭔가요. 이런 말 같지도 않은 발뺌으로 당신의 두 딸이 아 네, 그렇군요, 알겠습니다, 맥주나 드시어요 아버님, 이럴 거 같습니까?

그들의 협상 과정은 자세히 서술하지 않고 넘어가

기로 한다. 중요한 건 내 털이 깡그리 밀리게 생겼다는 것뿐이니까. 간단히 요약하자면 아빠는 나를 고양이 카페로 돌려보내지 않기로 했으니까 아이폰, 닌텐도는 없던 일로 하자는 거였고 딸들은 뚜아가 털을 미는 희생을 했으므로 그에 합당한 대가가 있어야 하고 그 대가는 아이폰, 닌텐도라고 했다.

털은 내가 미는데 왜 자기들이 대가를 받는지는 잘 모르겠지만 어쨌든 한참 동안 실랑이를 하던 그들은 최신형은 아니지만 어쨌든 아이폰을, 닌텐도는 아니지만 새 스마트폰을 받는 조건으로 한 발씩 양보한 협상안에 손가락 도장을 찍었다.

그들의 협상 과정은 흡사 여야의 정치권 맞대결을 보는 듯 흥미진진했으나 나는 엄마가 정말로 날 데리고 애견샵에 갈 것인지에 대해서만 신경이 쓰였다. 일단 아빠를 달래놓은 후 다른 대안을 찾아 또 다른 협상에 나서길 바랐…으나 다음날 엄마는 두 딸을 학교에 보낸 후 거침없이 나를 고양이 케이지 안에 넣고는 애견샵으로 향했다.

"얘 털 좀 밀려고 하는데요."

엄마가 하는 말을 듣고 애견샵 철창에 갇혀 있던 개새ㄲ…개들과 고양이들의 키득거리는 소리가 들렸다. 자존심이 무참히 짓밟히는 순간이었다. 하지만 절대 티를 내서는 안 된다. 나는 녀석들을 비열하게 훑어보며 말했다.

"으와웅~(갇혀 있는 주제에) 니야옹~(어디서 감히 날 비웃냐.) 크으으으웅!(평생 그 좁은 박스에서 살아라!)"

말이 좀 심했나? 일순간 녀석들이 고개를 숙이고 슬픈 표정을 지었다. 하지만 그만큼 난 한껏 신경이 예민해져 있었다.

"네 어머님~ 털이 많이 자랐네요. 이 친구들은 털이 금방금방 자라고 또 많이 빠지는 스타일이라 주기적으로 깎아 주시는 게 좋아요."

"비용은 얼마나 들까요?"

"네 저희 6만 원 받습니다."

비싸다. 인간들이 미용실에서 머리 자르는데도 6만 원이 안 드는데 확실히 고양이는 고귀하고 품격 있는 존재라서 이리도 비싼 건가. 내 털을 자르는 비용을 듣자 조금 우쭐한 마음이 들었다(나 너무 단순한가).

애견 미용사분이 익숙한 솜씨로 내 털을 밀기 시작했고 나는 엄마의 손에 붙들려 바닥에 몸뚱이가 고정된 채 간신히 숨만 쉬고 있었다.

지이잉~ 찌이잉~ 샥샥~ 샤라락 샥샥~

경쾌한 리듬으로 잘려나가는 털을 보고 있자니 문득 서글픈 마음이 들었다. 당신들이 나에게 맞춰야지 내가 왜 당신들에게 맞춰야 하는가. 털이 짧아지면 그루밍(털 핥기) 할 때 재미도 반감되고 우아한 모습도 잃게 되고 그 때문에 우울감 및 상실감, 몰려드는 스트레스는 어찌할 것인가 말이다.

미용은 금방 끝이 났다. 고개를 돌려 유리에 비친 내 모습을 보니⋯맨살이 드러난 몸통이 시장에서 파는 생닭 같았다. 하지만 나름 꾸며준답시고 네 개의 발밑 털은 밀지 않아 신발 신은 고양이같이 해 놓고 꼬리 끝부분도 튤립처럼 정리해 놨다, 마치 사자 꼬리처럼.

"발톱도 많이 자랐네요. 잘라 드릴까요? 고양이 발톱 잘라본 적 있으세요?"

"아⋯아니요 없어요."

"고양이 발톱에는 혈관이 있기 때문에 잘못 자르면 피나거든요. 끝부분, 혈관 없는 부분만 잘라 내셔야 해요."

발톱을 자르다니? 이건 얘기 안 된 거잖아! 하지만 말을 마친 미용사는 내 발을 딱 잡고 거침없이 발톱을 잘라 나갔고 나는 고통에 찬 비명을 질러댔다. 아픈 건 아니었지만 딱! 딱! 하는 그 소리가 너무 공포스러웠다. 나는 엄마가 말려줬으면 하는 마음으로 구슬프게 울었다. 하지만 엄마는 미용사가 발톱 자르는 모습을 간호실습생이 수간호사 주사 놓는 모습 보는 것처럼 미용사의 발톱 깎기에만 온 신경을 집중하고 있었다.

털 잘리고 발톱 잘리고 이제 난 무엇으로 사는 고

양이인가. 털이 없는 고양이는 왜소해 보이고 약해 보인다. 발톱이 짧은 고양이는 전투력을 상실한다. 내가 다른 적들과 싸워야 하는 상황은 없겠지만 내 스스로의 자신감은 대폭 삭감될 것이 자명하다.

"오늘 처음 오셨으니까 서비스로 이 친구 옷 하나 입혀 드릴게요~ 저희 샵 자주 오세용~"

이보시오 미용사 언니 양반. 아무리 털이 짧다지만 그루밍은 하고 살아야 할 것 아닙니까. 고양이가 그루밍 하는 낙으로 사는데 옷을 입히면 옷이나 핥으라 그 말입니까?

내 오늘 이 수모를 결코 잊지 않으리라. 위대한 페르시안 친칠라의 상징인 장털 제거도 모자라서 전투력의 척도인 발톱 깎기, 고양이의 즐거움인 그루밍까지 차단한 당신들의 이 잔인무도함과 선을 한참 넘은 심각한 묘권 침해를, 내 결코 잊지 않을 것이야!

7. 탈출을 감행하다.

이 집 식구들은 주말에 집에 붙어 있는 법이 거의 없다. 아빠가 억대 연봉을 받는 것도 아니고 엄마가 집에서 하는 프리랜서 일로 떼돈을 버는 것도 아닌데 하여튼 주말마다 집에 안 있는다.

월, 화, 수, 목까지 그들의 대화를 들어보면 통장이 마이너스 4백을 찍었다는 둥 적금을 깨니 마니, 이러다 마이너스 5백 찍겠다는 둥 앓는 소리로 주중을 다 보내다가도 주말만 되면 가족들이 몽땅 놀러 나간다. 작년까지만 해도 3년 연속 온 가족이 에버랜드 연간회원이었는데 그 금액이 어마 무시 했고 코로나 터지기 전에는 텔레비전을 보다가 갑자기 적금을 깨서 일본 여행을 가는, 상식적으로 납득이 되지 않는 가족이었다.

평상시 소비는 검소한 편이다. 덩달아 내가 먹을 사료와 츄르, 용품들도 검소한데 언젠가 한 번 프리미엄 사료 먹었다가 설사를 한 번 했더니 역시 우리 뚜아 주둥이가 청와대는 아니라며 어찌나 좋아하던지…. 이들은 식탁도 검소하고 두 딸들의 학원도 많이 다니는 편은 아니며 옷을 사거나 뭔가를 사치하는 스타일은 분명 아니다. 아빠도 책을 사거나 술을 먹거나 담배 사는 비용을 제외하곤 취미생활이나 겉치레에 돈 쓰는 일이 거의 없다.

즉, 부부가 벌어들이는 대부분의 돈은 아파트 대출금을 갚고 여행 가는 데 쓰는 것 같다. 봄, 가을에는 미친 듯이 캠핑을 다니고 여름 겨울에는 그냥 여행을 다니며 주말 약속이 펑크 나거나 여행 계획을 세우지 못한 주말에도 당일치기라도 어딜 다녀와야 직성이 풀리는 여행에 미친 가족이었다. 나중에 다시 얘기하겠지만 급기야는 가지고 있는 돈을 모두 털어 난데없이 강릉에 전셋집을 얻는 기행을 벌이는 사람들이다, 강릉에 놀러 다니겠다고.

어쨌든 봄바람이 불기 시작한 어느 토요일 이른 아침, 이들은 캠핑 갈 준비로 여념이 없었다. 전날 캠핑 장비를 차에 실어 놨어야 했는데 아빠가 술 먹고 늦게 들어오는 바람에 아침부터 서두르게 되었다며 온 식구가 분주했다. 아빠는 쉴 새 없이 장비를 차로 날랐고 엄마는 냉장고에서 음식을 꺼내 아이스박스에 담고 있었으며 두 딸들도 본인의 옷가지를 챙기는 등 매우 분주하고 정신이 없었다.

이들이 주말에 집을 비우는 게 늘 있는 일이라서 나는 이번 주말에 빈 집에서 뭐 하며 시간을 보낼지 고민하고 있는데…. 고민을…그러니까…하고…있는…어라? 원래 컸던 나의 동공이 더 커졌다. 이 집은 현관문이 있고 거실과 현관을 분리하는 중문이 있다. 캠핑 장비가 중문 앞에 쌓여 있고 아빠가 계속해서 왔다 갔다 하면서 짐을 나르는데 중문이 열려 있었다. 그리고, 현관문도 열려 있었다. 현관문이! 열려있다! 천국으로 가는 문이 드디어 열렸구나! 얼씨구나! 에헤라디야~ 풍악을 울려라! 이 집을 탈출할 기회가 드디어 찾아온 것이다. 후우…. 흥분하면 안 된다. 침착해야 한다.

우선 가장 큰 위험은 아빠다. 무작정 나갔다가 때마침 들어오는 아빠와 마주치면 탈출 시도는 그 즉시 종료된다. 따라서 아빠가 들어왔다가 다시 나갈 때 그 뒤를 따라 나가야 한다. 막상 탈출을 한다고 생각하니 심장이 뛰었다. 이번 기회는 처음이자 마지막 기회라고 봐야 한다. 왜냐면 이번에 탈출했다가 잡히면 그들은 나에게 탈출 의지가 있다는 걸 깨닫게 되어 보안을 강화할 것이기 때문이다. 단 한 번의 시도로 탈출을 성공시켜야 한다. 정신 바짝 차리자.

그들이 날 잊고 각자의 일에 열중하고 있었으므로 괜히 어슬렁거리다가 눈에 띄어 나의 존재를 일깨워 주는 어리석음을 범하지 않기 위해 우선 거실 테이블 밑에 들어가 몸을 은폐하였고 고개만 빼꼼 내밀어 동태를 살폈다. 엄마는 주방에, 딩중이는 딩중이 방에, 딩초는 화장실에 있었다. 아빠가 들어왔다. 그는 아직도 짐이 이렇게 많이 남았나, 하는 표정으로 잠시 한숨을 쉬었다가 나와 눈이 정통으로 마주쳤고 당황한 나는 깜짝 놀라 테이블 깊숙이 몸을 숨기다 테이블 다리에 머리를 부딪쳤다.

"뭐야 저 떨떨이는. 혼자 대가리를 박어."

아씨 쪽팔려. 이런 수모를 겪다니. 하지만 당신이 날 무시하고 떨떨이 취급하는 것도 오늘이 마지막이다 후후. 아빠는 대수롭지 않게 짐 보따리 하나를 들고 다시 밖으로 나갔고 나는 뒷다리에 힘을 주었다. 바로 지금이다! 아무도 날 보지 않는 바로 지금! 잠시의 망설임도 없이 나는 그대로 현관으로 튀어 나갔다. 심장은 금방이라도 터져 버릴 듯 미쳐 날뛰었고 나는 현관 밖으로 탈출하는데 성공했다.

정면에 맞은편 집이 보였고 왼쪽은 엘리베이터, 오른쪽은 계단이다. 어디로 가지? 어? 나 어디로 가냐? 급하게 코를 벌름거려 바깥공기가 어디서 들어오고 있는지 냄새를 맡았다. 아하 저쪽이구나. 맞은편 집 현관 바로 앞까지 조금만 더 걸어가서 오른쪽으로 돌아 나가면 바깥세상이다. 쏜살같이 밖을 향해 다리에 힘을 주려는데 누군가 사람 하나가 밖에서 들어왔다. 지금 잡히면 폭망이다. 나는 급한 대로 우선 오른쪽에 있는 계단을 타고 올라가기 시작했다. 절대로 인간에게 잡히는 일만큼은 피해야 한다. 최대한 높은 곳까지 올라가서 숨어 있다가 밤이 되면 다시 내려와 나가야겠다.

하지만 나는 2층에서 멈춰 버리고 말았다. 3층에 있는 집에서 개가 짖는 소리가 들렸기 때문이다. 잽싸게 냄새를 맡았더니 전투력이 최전성기에 있는, 사람으로 치면 20대 중반 정도 된 사나운 개가 틀림없었다. 게다가 짖는 소리를 들어보니 덩치가 엄청 큰 것 같았다.

참고로 고양이의 청력은 개보다 훨씬 뛰어나고 작은 소리의 변화까지 감지할 수 있기 때문에 상대방의 소리만 듣고도 많은 양의 정보를 얻을 수 있다. 나는 무서웠다. 3층에 있는 집 문이 열리고 저 개가 튀어나온다면 나는 제대로 대항 한 번 못 해보고 처참하게 능욕을 당할 것이 뻔했다. 다리가 떨리고 살이 떨렸다. 그렇다고 여기서 내려갈 수도 없었다. 내려가는 순간 인간에게 잡힐 것이고 어쩌면 지금쯤 딩초 딩중이가 나의 탈출을 눈치챘는지도 모를 일이었다.

용기를 내어 3층을 지나쳐 계속 올라가는 것이 바람직하겠지만 3층을 지나치는 일이 너무 무서웠다. 올라가지도 못하고 내려가지도 못하고 창문은 닫혀 있어서 뛰어내리지도 못하고 난감한 상황에서 일단 나는 2층과 3층 사이 계단에 있는 자전거 뒤로 몸을 숨겼다. 하지만 내 몸이 제대로 숨겨질 리가 없었다. 자전거 바퀴살 틈으로 다 보이니까 말이다. 최대한 몸을 웅크리고 나는 금방이라도 터질 것 같은 심장을 애써 진정시키고 있었다.

집 나가면 개고생이라더니 이게 무슨 고양이 고생인가. 부푼 꿈을 안고 용기를 내어 탈출을 감행한 것이 살짝 후회가 되었다. 자전거 뒤에서 나는 오들 오들 떨었다. 바로 그때!

"뚜아 나갔나 봐!"

1층에서 딩중이 목소리가 들렸다. 나의 탈출은 이제 만천하에 드러난 것이구나.

"잘 찾아봐~ 거실에 짐이 잔뜩 있고 우리가 막 정신없이 움직이니까 놀라서 어디 숨어 있는 거겠지."

엄마는 상냥하다. 그리고 당황하는 법이 없다.

"없어! 뚜아야! 뚜아야!! 뚜아야!!!"

딩초가 절규했다. 이 집은 구조상 숨을 곳이 별로 없다. 그리고 고양이는 자신의 영역을 중시하는 동물이기 때문에(하긴 이 집의 모든 곳이 나의 영역이긴 하지만) 보통 있던 곳에 계속 있다. 있을만한 곳을 다 찾아봐도 내 모습이 보이지 않자 딩초는 절규의 수위를 점점 높여갔다. 가뜩이나 목소리가 우렁찬데 절규하는 목소리는 더 우렁찼다.

"문 열어놨더니 나갔나 보다. 집 나가면 지만 손해지 뭐. 캠핑 갔다 오면 배고파서 문 앞에 쭈그리고 있을 거야. 늦었으니까 일단 출발하자."

저런 피도 눈물도 없는 아빠라니. 그래도 그동안 같이 산 정이 있는데 찾는 척이라도 좀 할 것이지 거 되게 서운하네. 그리고 배고파서 문 앞에 쭈그리고 있을 거라고? 배고프면 먹을 걸 찾아서 더 먼 곳으로 이동을 하면 했지 여기로 다시 돌아오겠니?

저렇게 고양이를 몰라서야…. 하긴 나도 당신이라는 인간을 잘 모르니까 피차 쌤쌤이다.

"이렇게 그냥 캠핑을 어떻게 가. 뚜아 찾아놓고 가야지."

엄마는 흥분하지도, 안 흥분하지도 않은 음성으로 침착하게 아빠를 타일렀고 딩초는 목을 놓아 울었으며 딩중이는 날 찾기 위해 밖으로 달려 나갔다 (보이진 않았지만 달리는 소리가 딩중이가 확실했다). 그리고 뒤를 따라 딩초가 나갔고 엄마도 나갔고 아빠도 나갔다. 그다음부터는 밖에서 들리는 소리였다.

딩초는 나라 잃은 충신처럼 오열하며 내 이름을 불렀고 딩중이는 그래도 중학생답게 머리 쓴답시고 츄르 줄 때 날 부르는 간드러지는 목소리로 "뚜아야~ 츄르~ 츄르~" 하면서 감정을 한껏 자제하고 있었으며 엄마는 말은 없었지만 날 찾으며 내쉬는 들숨과 날숨이 매우 거칠어서 심리적으로 상당히 불안한 상태였다. 아까도 말했지만 고양이의 청력은 소머즈 뺨친다. 우리는 한 음을 10분의 1로 쪼개어 들을 수 있을 만큼 정교한 청력을 가지고 있어서 나는 엄마의 숨소리만 듣고도 그녀가 지금 어떤 상태인지 알아낼 수 있었던 것이다.

온 가족이 날 찾는 모습이 너무 안쓰럽고 처참해서 슬그머니 집으로 돌아가 시치미 떼고 있다가 딩중이 침대 밑에서 기어 나올까 싶은 생각이 들기도 했다. 내가 이 집에서 존재감이 이 정도였나 싶기도 하고 딩초가 저렇게까지 오열하며 온 아파트 단지를 돌아다니다가 넘어지거나 마음의 상처를 입으면 어쩌나 걱정이 되기도 했다. 하지만 아빠가 하는 말을 듣고 나는 다시금 마음을 다잡았다.

"이러다 우리 늦어. 뚜아가 집을 나갔다면 그건 그냥 뚜아의 운명인 거야. 어디 가서 잘 살 테니까 행복을 빌어 주고 우린 어서 캠핑이나 가자."

그러면 그렇지. 난 지난번에 당신이 날 고양이 카페로 돌려보내려고 수작 부린 사건을 잊지 않고 있다고! 내가 제 발로 집을 나가줘서 속이 후련하지? 흥!

"캠핑 안가! 뚜아 찾을 때까지 캠핑 절대 안가! 뚜아 못 찾으면 집에도 안 들어갈 거야! 뚜아 꼭 찾을 거야!"

아…딩초야…. 울지 말거라. 너는 인간이고 나는 동물이야. 네가 인간으로서 꿈과 희망을 가지고 있듯이 나 역시도 고양이로써 꿈이 있단다. 그동안 정 들었는데 나도 많이 아쉬워. 하지만 어쩌겠니. 난 자유를 찾아 떠날 거란다. 너는 너의 삶을 살고 나는 나의 삶을 살겠지. 씩씩하고 건강하게 자라서 네가 되고자 하는 아이돌이 꼭 되길 바라. 언젠가 TV에서 네가 춤추고 노래하는 모습을 보게 된다면 나는 나의 왕국에서 부하 고양이들에게 꼭 말할 거야. 저 연예인은 비록 한때 진격의 최헐크라고 불릴 만큼 거친 소녀였지만 마음만은 한없이 따뜻하고 정 많은 아이였다고….

그렁그렁 내 눈에도 눈물이 고였다. 츄르 먹을 때 흥분해서 눈물이 나온 적은 있었지만 이렇게 슬퍼서 눈물이 나온 적은 처음이었다. 그때였다. 1층에서 둔탁하게 계단을 밟고 누군가 올라오는 소리가 들렸다. 그 소리를 듣고 3층에 있는 개가 짖었고 나는 다시 공포에 질렸다. 이런 걸 독 안에 든 쥐라고 하는 건가. 고양이들에게 둘러싸여 꼼짝 못 하는 쥐새끼의 심정을 알 것도 같았다. 발걸음은 점점 다가오고 3층 개새끼, 개는 점점 더 맹렬하게 짖었으며 나는 피할 곳도, 할 수 있는 것도 없었다. 아…. 나의 운명은 여기서 끝나는 건가.

"요 녀석 여기 있었구나."

아빠였다. 나는 고개를 돌려 쭈그려 앉아 날 보고 있는 아빠의 눈동자를 보았다. 그의 눈에 눈물이 맺혀 있었다. 왜지?

"얼마나 무서웠니. 아빠랑 가자, 집으로…."

그에게서 이런 다정하고 따뜻한 목소리를 들은 적이 있었던가. 어리둥절한 나는 미동도 하지 못한 채 가만있었고 그런 나를 아빠가 안아 올렸다. 그의 심장은 두근대고 있었고 그의 품은 따뜻했으며 작게 내쉰 한숨에서 안도감이 새어 나왔다. 그리고 아빠의 품은 먼 기억 속 엄마의 품처럼 포근했다(아 급 꾹꾹이 하고 싶네).

"뚜아야!"

나를 건네받은 딩초가 숨이 막히도록 날 꽉 안으며 구슬 같은 눈물을 흘렸다.

"내가 뚜아라고 생각해 봤어. 고양이는 원래 겁이 많은 동물이고 뚜아는 집 밖을 나가본 적이 없잖아? 우연히 밖으로 나갔다 하더라도 냄새랑 소리가 낯설기 때문에 멀리 갈 수 없었을 거야. 그런데 우리가 화단이랑 이런 데를 다 찾아봤는데도 뚜아가 없었어. 그렇다면 밖에 나가지 않았단 뜻이지. 밖으로 안 나갔다면 계단을 타고 위로 올라가는 수밖에 없었겠지. 그래서 올라가 본 거야."

아빠는 본인이 무슨 탐정이라도 된 양어깨에 힘이 들어가서는 날 찾아낸 무용담을 열심히 설명했지만 엄마, 딩중, 딩초는 그 말을 듣는 둥 마는 둥 나만 바라보고 있었고 그 시선은 참으로 따뜻…지만 곧 날 다시 혼자 두고는 그대로 캠핑을 가버렸다. 쳇!

탈출은 실패했다. 하지만 현관 밖으로 나가는 데는 성공했고 3층에 위협적인 개가 존재한다는 사실을 알게 되었으며 아파트 공동 현관문으로 나가는 루트도 확인했으므로 절반의 성공, 절반의 실패라고 봐야 한다. 나의 탈출 시도로 이들의 보안 역시 한 층 더 강화될 것이지만 그래도 다음 탈출 때는 좀 더 신중하게 침착하게 과감하게 멋지게 성공할 것이다. 그래도 간만에 바깥공기를 맡았더니 좋구만. 계단 오르느라 안 쓰던 다리 근육을 썼더니 피곤하다. 사료나 실컷 먹고 잠이나 자야지.

8. 가족사진 찍던 날.

딩중이가 태어난 해, 그러니까 2007년 6월 이후로 이 집 식구들은 매년 6월에 사진관(스튜디오)에 가서 가족사진을 찍는다. 딩중이가 태어난 날 환자복 입은 엄마가 배냇저고리 입은 신생아 딩중이를 안고 있고 아빠가 그들을 바라보는 모습의 첫 가족사진만 병원에서 찍었다.

그다음 사진은 딩중이의 첫돌을 기념하여 찍은 사진이고 그다음 사진부터 4년간은 중국의 사진관에서 찍었는데 아빠의 근무지 즉, 아빠와 엄마가 사는 곳이 중국이었기 때문이다. 아빠와 엄마가 딩중이를 중국에서 제조하였으니 딩중이는 MADE IN CHINA인 걸까? 아니면 태어난 곳이 한국이니까 MADE IN KOREA인 걸까, 논란의 여지가 있다.

어쨌든 딩중이는 인터내셔널 한 유아기를 보냈다. 엄마가 중국에서 임신을 한 후 만삭이 되어 출산을 위해 한국에 갈 때, 임신 8개월 이상의 임산부는 비행기에 탑승할 수 없다는 규정(항공사마다 다름)을 모르고 공항에 갔다가 비행기를 못 탈 뻔했다고 한다. 비행기를 못 탄다는 것은 딩중이를 중국에서 낳아야 한다는 뜻이고 그렇게 됐다면 딩중이는 논란의 소지 없이 확실한 MADE IN CHINA가 되었을 것이다. 우여곡절 끝에 간신히 비행기에 탄 엄마는 비행기 이륙과 동시에 태중에서 매우 즐겁게 노는 딩중이의 행동을 보고 얘가 이다음에 커서 스튜

어디스가 되려나, 했다고.

딩중이는 태어난 지 4주 만에 다시 비행기를 타게 되는데 중국에 혼자 있던 아빠가 딩중이 보고 싶어서 제대로 일을 할 수가 없다며 쌩난리를 쳐대며 매일 엄마를 갈궈댄 탓이었고 그 후로도 딩중이는 다섯 살 때까지 비행기를 하도 많이 타 버릇해서 입출국 심사할 때 여권도 혼자 내고 비행기 타서는 안전벨트를 혼자 맨 후 자연스럽게 스튜어디스에게 오렌지 주스를 달라고 하는 경지에 이르게 되었다고 한다.

아빠는 진심으로 딩중이가 나중에 커서 스튜어디스가 되길 바라고 있었다. 이유는 항공사 직원 가족 할인받으면 비행깃값이 엄청나게 싸기 때문인데 파일럿도 있고 지상 근무직도 있는데 굳이 스튜어디스가 되라는 건 무슨 다른 뜻이 있는 건가? 딩중이 덕분에 나도 비행기 한 번 타보면 좋으련만.

그런데 가족사진 얘기하다가 갑자기 왜 스토리가 딩중이 스튜어디스 되는 것까지 갔냐. 여하튼! 딩중이 나이 다섯 살 때까진 중국에서 찍었고 그다음 사진, 그러니까 딩초가 첫 등장하는 사진부터는 한국에서 찍은 것이었다. 거실 한쪽 벽면이 온통 가족사진 액자로 가득 차 있는데 딩중이 딩초가 점점 성장해 가는 모습이 파노라마처럼 펼쳐져 있어서 벽만 보면 마치 이 집의 역사박물관 같기도 하다. 저런 사진이 30개쯤 되면 사진 속 등장인물이 늘어나게 될까?

매년 6월이 되면 아빠는 쿠팡이나 티몬 같은 소셜 커머스 사이트를 돌아다니기 시작한다. 프로모션으로 진행하는 가족사진 촬영권을 저가에 구입하기 위해서인데 액자 값도 안 나오는 비용으로 가족사진을 찍을 수 있다고 한다. 물론 발품 아니, 손가락품을 팔아야 가능한 일이고 동일 사진관에서 한 번만 찍을 수 있기 때문에 수원에 거주하는 이 집 식구들은 수원뿐만 아니라 인근에 있는 오산, 안산, 용인 등지의 사진관을 매년 돌아다니며 찍어 왔다.

"아빠! 올해부터는 가족사진 찍을 때 뚜아도 같이 찍어야 돼. 가족이니까."

"벌써 예약했는디?"

"뚜아도 같이 찍는 걸로?"

"아마…뚜아는 안 될걸?"

"전화해 봐. 롸잇, 나우!"

딩중이의 말을 듣고 아빠는 갑자기 쓴맛을 다시며 영화 〈주토피아〉에 나오는 나무늘보처럼 핸드폰을 아주 천천히 꺼내 들었다. 누가 봐도 하기 싫은 일을 억지로 하는 듯한 행동이었는데 신나게 손품 팔아서 간신히 싼값에 가족사진 촬영 예약까지 했는데 동물은 안 된다고 퇴짜를 맞으면 애완동물과 함께 사진을 찍을 수 있는 사진관을 다시 찾아야 하

는 것이고 가격 싸고 거리도 너무 멀지 않은 사진
관을 찾는 일이 쉬운 일은 아니긴 했다.

아빠는 딩중이의 눈치를 힐끔 한 번 쳐다본 후에
마지못해 통화 버튼을 눌렀고 딩중이는 나를 안은
채 아빠 옆에 찰싹 달라붙어 통화 내용을 같이 들
었다.

"다다음 주 토요일 2시 가족사진 촬영 예약한 사
람인데요."

"아 네 4인 가족 촬영 예약 잘 되어 있으세요."

"네 그런데 4인 가족이 아니라 사실…아주 작고
얌전하고 말썽 안 부리고 순진한 고양이가…한 마
리 있거든요?"

아빠는 '아주 작고 얌전하고 말썽 안 부리고'를
말하는 부분에서 아나운서처럼 또박또박 강조하듯
말했다. 하지만 수화기 너머의 상대방은 이런 아빠
의 화법에 격동하는 것 같지는 않았다.

"아 그러시군요~"

"아 그러시군요가 끝이 아니라 그러니까…고양이
도 같이 데리고 찍어도 되죠?"

"아…그건 좀 곤란하세요. 예전에 저희 스튜디오
에서 어느 분께서 고양이 안고 찍으시다가 고양이
탈출해서 숨어 버려서 2시간 동안 찾았어요. 뒤에
대기하시던 분들 줄줄이 촬영 밀렸구요. 죄송하지만
고양이는 좀 곤란해요."

"아니 가족사진인데, 고양이도 가족인데 같이 못 찍는단 건가요?"

아빠의 목소리가 살짝 격앙되기 시작했다.

"아무리 가족이라도…고양이는 좀 통제가 안 되잖아요?"

"저희 집 고양이는 통제가 됩니다. 엄청 얌전해요. 오히려 저희 애들이 통제가 안 됩니다."

"털도 많이 날려서 촬영 끝나면 스튜디오 환기도 다 해야 되고…. 다음 차례로 오시는 손님한테 고양이 알레르기라도 있으면 저희가 다 책임져야 하고, 고양이는 일단 도망가면 구석으로 숨어 버리는지라…죄송하지만 고양이는 좀 안 될 것 같습니다."

"흐음…고양이가 안 되면, 그럼, 개는 되나요?"

으응? 개는 왜 물어보는 거지?

"개도 있으세요?"

"없어요."

"개는 됩니다."

"개는 되고 고양이는 안 된다 이거죠? 개도 털 날리는데. 지금 고양이랑 개랑 차별하고 계신 거 아시나요?"

싸우자는 건가….

"환불 처리해 드릴까요? 예약 위약금 발생하는데요."

상대방도 전화받는 친절함이 상당히 감소한 상태

였다.

"일단 다시 생각해 보고 전화드리겠습니다."

전화가 끊기자마자 딩중이가 발끈했다.

"뚜아랑 같이 못 찍으면 나 사진 안 찍어."

아빠가 나를 쳐다보는 눈빛이 난감했다. 이걸 어찌해야 하나, 하는 표정.

하지만 아빠는 결국 나를 포함한 가족사진을 선택했고 기존에 예약했던 사진관에서 위약금을 차감하여 환불을 받고는 가격을 3배나 더 주고 반려동물과 함께 찍을 수 있는 사진관으로 다시 예약했다.

그리고 드디어 촬영하는 날이 왔다. 엄마가 베란다 구석에서 고양이 케이지를 꺼내 물티슈로 먼지를 닦는 모습을 보니 처음 이 집에 오던 날이 생각났다. 저 안에 갇혀서 나는 이곳으로 왔었다. 그게 벌써 몇 달 전이라니 시간 참 빠르다. 그 사이 나는 이 집에 완벽하게 적응했고 이 집 식구들도 나에게 적응했으며 탈출의 꿈을 버린 것은 아니지만 눈덩이처럼 이들과 정을 쌓고 있는 중이었다.

"들어가 뚜아야."

딩초가 날 번쩍 안아서 케이지 안으로 넣으려고 해서 나는 잽싸게 내가 먼저 케이지로 들어가 앉아 버렸다.

"우와 우리 뚜아 되게 영리하다. 나가는 줄 알고 지가 먼저 들어가는 거 봐봐!"

딩초는 나의 별거 아닌 행동에 별게 아닌 의미를 부여하곤 한다. 귀여운 녀석.

그래도 오랜만에 이렇게라도 바깥공기를 맡게 되어 좋구만. 이 집에 와서 두 번 밖에 나갔었다. 한 번은 털 깎으러, 또 한 번은 절반의 실패로 끝난 탈출로.

스튜디오에 도착했다. 내 참 오래 살다 보니 스튜디오에서 사진을 다 찍어보네. 캐주얼 하게 옷을 맞춰 입고 왔기 때문에(근데 나는 왜 옷 안 주냐?) 따로 준비할 건 없었다. 나는 딩중이 품에 안겨 사진을 찍었고 딩초 품에 안겨 사진을 찍었다. 사진은 11R 크기로 달랑 한 장 나오는데 무슨 사진을 이렇게 많이 찍는지 모르겠다. 플래시가 터질 때마다 눈이 부셔서 혼났다.

"고양이가 진짜 얌전하네요. 눈은 원래 저렇게 게슴츠레하게 뜨나요?"

"네, 원래 그래요."

대답을 왜 아빠가 합니까? 아빠가 내 눈을 알아? 어? 동그랗고 맑고 까만 내 백만 불짜리 눈을 당신이 아냐고! 그리고 눈을 게슴츠레하게 뜰 수밖에 없는 것이, 플래시가 번쩍거리는 게 고양이한테는 얼마나 큰 공포인지 아냐고! 아 스트레스 받아. 오늘 당신들 나 츄르 두 개 줘!

무사히 촬영을 마치고 집으로 돌아왔고 오늘이 주

말이라는 걸 깜빡 잊고 있었다는 듯 그들은 날 혼자 두고 또다시 집을 나갔다. 의왕에 있는 백운호수 근처로 커피를 마시러 간다고 하는데 인간들의 심리를 당최 알 수가 없다. 커피를 왜 호수까지 가서 마실까?

며칠 뒤 아빠가 사진을 가지고 왔다. 멋진 액자에 담긴 네 명의 인간과 하나의 고양이가 내가 봐도 이질감 없이 잘 어울려 있었다. 아빠는 벽에 콘크리트 못을 박은 후 나란히 걸려 있는 가족사진들 옆에 이번에 찍은 사진을 더하였다. 첫 번째 사진부터 네 번째 사진까지는 세 명, 네 번째 사진부터 13번째 사진까지는 네 명, 그리고 올해 14번째 사진부터 내가 더해지게 되었다.

전에 했던 생각이 다시 났다. 이런 사진이 몇 개쯤 되면 사진 속 등장인물이 늘어나게 될까. 딩중이가 결혼을 하면 한 명 늘어날 것이고 딩초가 결혼하면 또 한 명 늘어날 것이고 아이를 낳으면 또 늘어날 것이고.

그리고 문득 궁금해졌다. 나는 이들의 몇 번째 가족사진까지 함께할 수 있을 것인지.

9. 염병할 놈의 고양이.

이 집의 가장 큰 위협은 딩초라고 생각한 적이 있었다. 눈웃음이 귀여운 겉모습과는 달리 성격은 남자아이 뺨치는 왈가닥 소녀, 오죽하면 잼민이들 사이에서 진격의 최헐크라는 별명이 붙었겠는가. 딩초가 이런 격한 성격을 가지게 될 줄은 아기 때는 정말 몰랐었다고 입을 모은다.

엄마가 딩초를 낳을 때 이미 제왕절개가 확정된 상태에서 산부인과 의사가 언제 수술을 할 것인지 날짜를 받아오라 했다고 한다. 아빠의 외할아버지(딩초의 외증조 할아버지)가 이쪽 분야의 전문가이셨으므로(서울 아현동에서 철학원을 운영하셨다고 함) 출산 날짜뿐만 아니라 이름까지 내려 주셨는데 여자아이이고 토끼띠이므로 순하고 여자여자하게 자랄 수 있는 사주로 택일해 주셨고 2.6kg의 작고 예쁜 아이로 태어나 정말로 순하디 순한 유아기를 보냈다고 한다. 하지만 어린이집에 다니게 되면서부터 딩초는 숨겨왔던 본능을 분출하게 되는데 이에 얽힌 몇 가지 이야기가 있다.

아빠와 함께 식탁에서 밥을 먹던 딩초는 장난으로 오른쪽 다리를 식탁에 올렸다. 발끈한 아빠. 어디 밥상머리에 다리를 올리냐면서 당장 내리라고 무섭게 말했다고 한다. 그러자 딩초, 아빠를 빤히 쳐다보며 왼쪽 다리까지 식탁에 척!

딩초가 다니던 어린이집 담임선생님은 그 어린이

집에서 가장 무서운 선생님이었다고 한다. 웬만한 남자 못지않은 체격에 힘도 세서 그 선생님의 말이라면 어린이들이 벌벌 떨었다고. 점심 먹는 시간. 편식하던 딩초를 선생님이 혼냈다. 편식하면 안 된다고, 골고루 먹어야 한다고. 그러자 딩초는…그대로 식판을 엎었다고 한다.

학부모 면담에서 어린이집 원장은 딩초에게 분노조절장애 검사를 권유하였는데 이 소식을 들은 아빠가 격노하여 애가 밝고 명랑한 것을 가지고 어딜 감히 환자 취급하냐며, 원장은 뇌 검사나 받으시라고 일갈하였다고 하니 딩초의 성격은 아빠를 닮은 것이 분명해 보인다.

딩초는 "악기 하나쯤은 반드시 다룰 줄 알아야 한다."라는 아빠의 개똥철학에 의거하여 피아노 학원에 등록하였으나(실제로 언니는 5살 때부터 지금까지 피아노를 치고 있음) 적성에 맞지 않아 한 달 만에 작파해 버리고 곧바로 태권도를 시작, 단 한 번의 탈락 없이 승급하여 2단까지 땄고 지금은 잠시 댄스학원에 다니고 있다(곧 태권도를 다시 시작하여 3단을 따겠다고 한다).

하지만 내 눈엔 보인다. 딩초가 몸 쓰는 걸 좋아하고 성격이 드세 보이지만 사실은 엄청 여린 마음을 가지고 있다는 것을. 전형적인 내유외강 스타일이랄까? 딩초가 날 얼마나 사랑하고 아끼는지는 잘 알고 있다. 하지만….

"뚜아! 너 왜 이렇게 예쁜 거야 어? 대체 왜! 누가 그렇게 예쁘래!"

그날도 그랬다. 딩초는 날 끌어안고 뽀뽀하고 으스러지도록 날 껴안았는데 평상시엔 조금만 버티면 곧 풀어주곤 했지만 이날은 이상하게 날 계속 끌어안고 있었다. 너무 고통스러워서 "아앙…" 하고 신음 소리를 내봤지만 딩초는 날 놓아주지 않았다. 오히려 나의 고통에 찬 신음 소리가 귀엽다며 더 세게 팔에 힘을 주었다.

이대로 있다가는 숨이 멎을 것만 같아서 어떻게든 빠져나가야만 했다. 나는 몸부림을 쳤고 딩초는 더더욱 팔에 힘을 주었으며 딩초의 압력에 비례하여 나의 발버둥도 강도를 높여갔다.

"아얏!"

하며 딩초가 괴성과 함께, 주었던 팔에 힘을 뺐고 난 그 틈을 놓치지 않고 잽싸게 딩초로부터 탈출하는데 성공했다. 그러나 아뿔싸! 딩초의 얼굴에 발톱 자국이 생기고 말았다. 내가 몸부림치며 탈출하는 과정에서 내 발톱에 얼굴이 긁힌 것이다. 상처는 길고 깊었고 피가 흘렀다. 엄마가 놀라서 달려왔다.

"뚜아를 그렇게 꽉 끌어안으면 어떡해! 너도 아빠가 끌어안고 뽀뽀하면 난리 치면서!"

딩초는 사람이면서 왜 역지사지를 모를까 아직 어

려서 그런가? 아빠는 틈만 나면 딩초를 공격한다. 딩초가 자고 있으면 스윽 옆에 누워서 몸을 끌어안고 딩초가 무언가에 열중하고 있으면 조용히 다가가서 기습적으로 뽀뽀를 하며 딩초가 두 눈 멀쩡히 뜨고 아빠를 보고 있어도 갑자기 레슬링을 하자며 대놓고 공격한다. 그럴 때마다 딩초는 진심을 다하여 아빠를 밀어내고 심지어는 아빠 머리끄덩이를 잡는 등 필사적으로 저항한다.

물론 딩초도 아빠가 본인을 너무 사랑하고 예뻐해서 하는 짓임을 잘 알고 있을 것이다. 나도 마찬가지다. 딩초가 날 귀여워하고 좋아하는 걸 잘 알고 있다. 하지만 숨이 막히도록 꽉 끌어안아 나에게 고통을 주는 문제와는 차별되어야 한다. 어쨌든 그러나 내 발톱에 딩초가 부상을 입은 것이고 원인 제공은 딩초가 했으나 도의적으로는 나도 책임이 아주 없다고는 말할 수 없다. 딩초에게 미안한 마음이 들어 나는 엄마로부터 치료를 받고 있는 그의 곁을 떠날 수가 없었다.

언젠가 딩중이가 텔레비전으로 영화를 볼 때 함께 봤던 영화가 떠올랐다. 팀 버튼 감독의 <가위손>이라는 영화였는데 나는 거의 마지막 장면을 봤었다. 양쪽 손이 모두 가위인 이상한 인간이 자신에게 애정을 가지고 다가오는 여자를 만지려다 얼굴에 상처를 입히고 만다. 당황한 가위손은 어찌할 바를 모르고 손을 휘저으며 허둥대다가 점점 더 여자에게 상처를 입히는 장면이 너무 슬펐었다.

나의 발톱은 내가 고양이인 이상 어쩔 수 없는 것이다. 그리고 그 발톱으로 나를 사랑하고 내가 사랑하는 인간에게 나의 의도와는 상관없이 상처를 입힐 수 있다는 사실이 참으로 안타깝다. 인간과 나는 근본적으로 다른 존재이고 서로 다른 존재가 한곳에서 함께 살아간다는 것은 필연적으로 양보와 이해, 존중이 뒷받침되어야만 가능한 일이다. 물론 이 집 식구들은 날 이해하려고 노력한다. 엄마한테 혼나고 시무룩해져서 앉아 있는 딩초도 날 원망하지 않았고 딸 상처에 연고를 발라주고 있는 엄마도 날 원망하지 않았으며 자신도 언제든 이런 신세가 될 수 있음을 알고 있는 딩중이도 날 원망하지 않았다 (딩중이는 오히려 동생을 놀리고 있었다).

그렇게 나의 "딩초발톱테러사건"은 이대로 덮이는가 싶었다. 그러나…. 날 이해해 줄 수 없는, 날 이해할 리 없는 분이 등장했다.

"띵동~"

현관 벨이 울리고 거실 인터폰 모니터에 한 사람이 보였다.

"할머니 오셨다!"

딩중 딩초에겐 두 분의 할머니가 계신다. 친할머니는 청양에 계셔서 청양 할머니, 외할머니는 원주에 계셔서 원주 할머니로 호칭한다. 오늘 등장한 분은 청양 할머니고 딩초가 갓난아기 때 할아버지, 할머니, 그리고 네 식구가 한 집에 살았던 관계로 딩초는 거의 청양 할머니 손에서 자랐다. 그 얘기는 청양 할머니에게 있어 딩초라는 존재는 눈에 넣어도 아프지 않을 귀한 손녀 이상의 의미라는 뜻이다.

"내 강아지 잘 있었어?"

풉! 딩초, 너 강아지였냐?

"어? 너 얼굴 왜 이래! 상처 뭐야 이거! 누가 이랬어! 친구랑 싸웠어? 어떤 놈이 우리 귀한 손녀 얼굴을 이래 놨어!"

아차…. 나는 도둑고양이 제 발 저린다는 속담처럼 괜히 찔려서 거실 구석에 웅크리고 앉아 할머니의 눈치를 살필 수밖에 없었다. 누가 그랬냐고 다그치는 할머니의 성화에 엄마도, 딩중이도, 딩초도 그 누구도 아무 말도 할 수 없었다. 그러자 할머니는 아주 자연스럽게 빠르지도, 느리지도 않은 속도로 고개를 돌려 나를 바라보았고 이글거리는 할머니의 눈빛에 그대로 몸이 얼어붙어 움직일 수가 없었다.

"이런…이런…이런 염병할 놈의 고양이가!"

삼국지에 장판교 싸움 장면이 있다. 장비가 고함 한 번 질러서 적군들을 물리치는 장면인데 할머니의 염병할 놈의 고양이 한 마디 역시 장비 보다 나으면 나았지 모자라지 않았다. 나는 그대로 내장에 있는 똥오줌을 남김없이 지려놓고 피를 토하며 죽는 기분이 들었다. 그만큼 할머니의 그 한마디는 너무나 무서웠다.

"저 上놈의 고양이 새끼 당장 갖다 버려! 이게 뭐야 이게! 어딜 감히 금쪽같은 내 강아지 얼굴을 이렇게 긁어놔!"

할머니가 오늘 처음 내 강아지 잘 있었어? 하며 들어오실 때의 표정을 기억한다. 현존하는 부처님이 있다면 이런 표정이 아닐까 싶을 정도로 인자하고 사랑이 듬뿍 담긴 얼굴이었다. 하지만 지금의 표정은 도무지 같은 사람의 표정이라고는 믿기지 않았다. 할머니의 심정을 이해한다. 과정은 결과 보다 후순위로 밀리는 법이고 비주얼은 자초지종 보다 우선한다. 딩초의 얼굴이 왜 그렇게 됐는지 보다 딩초의 얼굴이 이미 이렇게 됐다는 사실 자체가 할머니 입장에서는 훨씬 중요하셨을 것이다.

하지만 난 조금 억울했다. 내가 무슨 싸움닭도 아니고 얌전히 가만히 있는 사람을 선제타격 할 리가 없지 않은가. 억울하긴 했지만 딱히 내가 변명을 할 수 있는 것도 아니고 딩초가 피해를 입은 것 또한 사실이므로…네, 제가 나쁜 고양이입니다. 제가 염병할 놈의 고양이에요. 저를 과실치상의 죄로 다스려 주옵소서!

"할머니, 뚜아한테는 잘못이 없어요. 제가 뚜아를

너무 심하게 꼭 끌어안아서 뚜아가 너무 괴로워서
빠져나가다가 실수로 그런 거예요. 뚜아 혼내지 마
요 할머니."

딩초는 금방이라도 울 것처럼 나를 적극 변호하였
고 그런 딩초를 할머니는 짠하게 바라보았다. 할머
니와 딩초는 그렇게 서로를 한참 동안 마주 보았고
할머니의 짠한 표정은 점점 흐뭇한 표정으로 바뀌
어 갔다. 그리고 나는 구석에서 그 모습을 바라보다
가 문득 그들의 생김새가 엄청나게 닮았다는 사실
을 발견했다, 특히 코가.

소문에 의하면 할머니와 딩초는 둘 다 혈액형이
AB형이고 둘 다 한 성격하는 것으로 알려져 있었
다. 그리고 강해 보이는 겉모습과는 달리 엄청 여린
마음을 가졌다는 것도. 그리고 불똥은 엄마에게로
옮겨갔다.

"애미야. 저 고양이 발톱 좀 깎아야겠다."

"네 그렇지 않아도 도움닫기 같은 거 하면서 소파
까지 뜯어놔서 발톱 깎으려고 가위 주문해놨어요."

핫…하하핫…소파는 원래 낡았…하하하.

"나 오늘 할머니랑 뚜아랑 같이 자야지."

"에유 할머니는 고양이 싫어."

"그래도 같이 자요~"

할머니의 경계심과 분노가 많이 사그라든 것 같아
서 나는 틈을 놓치지 않고 할머니에게 다가가 필살

기인 몸 부비부비를 작렬했고 할머니도 나를 따뜻한 눈빛으로 봐주셨다. 비록 염병할 놈의 고양이라는 다소 치욕적인 쌍욕을 얻어먹긴 했으나 딩초 얼굴에 스크래치 낸 것에 비하면 이 정도로 넘어간 게 다행이다 싶었다.

어쨌든 딩초야 미안해. 나도 어쩔 수 없는 일이긴 했지만 그래도 내가 미안하다. 예쁜 얼굴에 상처 나서 보는 사람마다 물어볼 텐데 그때마다 내 쉴드를 잘 쳐주길 바라.

10. 맛있는 츄르와 공포의 발톱깎기.

내가 생각해도 발톱이 많이 자랐다.

야생에서 사냥을 하거나 적들과 영역싸움을 하는 고양이들은 발톱을 사용할 일이 많기 때문에 자연스럽게 발톱 관리가 된다. 그들의 발톱은 강하고(강해야 하고) 여러 겹으로 되어 있는 발톱에서 안쪽의 새 발톱이 자라 올라오면서 바깥쪽 발톱이 제거되는 과정이 자연스럽게 이루어진다.

하지만 나처럼 집사가 바치는 사료를 풍족하게 쌓아놓고 먹거나 외부 적들과 혈전을 벌일 일이 없는 온실의 화초 같은 고양이들은 발톱 쓸 일이 없어서 대체로 관리가 잘 안된다. 우리 집 같은 경우 베란다에 있는 캣타워 기둥에 스크래처가 있고 거실에도 대략 1미터 정도 되는 대형 스크래처가 있으며 주방에도 배게 모양의 스크래처가 있어서 나는 언제든 발톱을 긁어댈 수 있는 환경이긴 하다.

우리가 발톱을 긁는 이유는 대략 세 가지 정도 된다. 우선 나의 영역 표시. 고양이는 영역의 동물이다. 인간의 언어로 치면 조폭들 나와바리 같은 건데 나의 영역 안에 다른 개체가 침범하는 것을 극도로 싫어한다. 물론 이 집은 내가 접수한 지 오래고 집전체가 나의 왕국이기 때문에 다른 개체가 침범할 여지가 없지만 어쨌든 고양이의 본능이 그렇단 얘기다.

발톱을 긁으면서 발바닥에 있는 젤리에서 분비되

는 땀과 호르몬을 잔뜩 묻혀놓음으로써 냄새를 맡을 줄 아는 동물이라면 아, 이곳은 임자가 있는 장소로구나, 나는 다른 곳으로 가야겠다,고 생각하게 만드는 게 목적이다(하지만 우리의 냄새를 인간들은 맡을 수 없다).

내 냄새를 나는 좋아한다. 아무 곳이나 머리만 대면 잠이 드는 스타일이긴 하지만 가끔 고민이 있거나 컨디션이 좋지 않을 때 숙면을 못 취하는 경우가 있는데 이때는 주방에 있는 소파형 스크래처 위에 웅크리고 잠을 잔다. 내 냄새가 잔뜩 묻어 있는 이 스크래처는 나에게 안정감을 주기 때문이다.

두 번째는 기분의 표현이다. 기분이 태도가 되지 말아야 한다는 것이 인간들의 불문율인데 정말 이해가 되질 않는다. 기분이 태도가 되어야 내 기분을 다른 사람들이 알게 될 텐데 인간들은 자신의 기분을 숨기고 살아가야 하는 동물인 건가? 인간이란 얼마나 가여운 존재인가. 자신의 기분을 드러내면 안 되고 눈에 보이지 않는 가면을 쓰고 사느라 답답한 인생들. 나는 인간이 전혀 부럽지 않다. 등 따시고 배부르고 심심할 때 쥐새끼나 한 마리 잡아서 놀다가 졸리면 자고 마려우면 싸는 동물들의 삶은 얼마나 훌륭한가.

이미 등이 따신데도 더 따시게 하려다가 등 태워 먹는 사람들, 배가 부른데도 자꾸만 더 쳐묵쳐묵 하다가 배 터지는 사람들, 졸린데 못 자고 마려운데 못 싸는 많은 사람들은 대체 무엇을 위해 그렇게 사는 걸까. 인간이 만물의 영장이라고 하는데 나는 하나도 부럽지가 않다(장기하의 "부럽지가 않어" BGM 깔아주세요).

어쨌든 나는 주로 분노를 표현할 때 스크래처를 긁곤 한다. 더러는 기분이 좋아도 발톱 긁기를 하는 고양이도 있는데 나는 기분이 좋으면 드러누워 데굴데굴 구르면서 기쁨을 표현하는 스타일이고 스크래처는 빡쳤을 때 긁는다. 딩초에게 수모를 당했거나 가지고 놀던 공이 침대 밑으로 들어가 꺼낼 수 없거나 딩중이 2층 침대에 점프해서 올라가다 실패하여 굉장히 웃긴 액션으로 떨어졌을 때, 모멸감에 충만한 분노의 발톱 긁기를 작렬한다. 배우 차인표 씨가 분노의 양치질을 하면서 느꼈을 쾌감을 감히 짐작할 수 있다. 스크래처에 다리를 최대한으로 뻗어 걸치고 위에서부터 아래까지 뜨드드득 하면서 긁어 내려오는 그 카타르시스! 스트레스가 멀리 저 멀리 날아가는 게 느껴질 정도다.

세 번째는 스트레칭 및 근육 단련이다. 뒷다리는 뛰어다니고 점프하느라 항상 단련이 되지만 앞다리가 문제다. 앞다리로는 고작해야 공놀이를 하거나 딩초 뺨을 때리거나 츄르 봉지를 꼭 붙잡는 용도로만 사용하다 보니 힘쓸 일이 없다. 따라서 발톱 긁기를 하면서 앞다리에 힘을 주어 스트레칭도 하고 근육도 단련하고.

이런 이유들로 발톱 긁기를 하지만 아무래도 실내에서만 지내다 보니 발톱이 관리되는 것보다 발톱이 자라는 속도가 더 빠르다. 나는 전에 털 밀러 애견샵 갔을 때 발톱을 한 번 깎았고 그 후론 깎지 않았다. 엄마가 셀프로 내 발톱을 깎겠다며 고양이용 발톱 가위를 주문했는데 택배가 도착하기 전 이미 나는 딩초의 얼굴을 긁었고 소파에서 뒹굴다가 여기저기 발톱 자국을 냈으며 딩중이 배에서 꾹꾹이 하다가 딩중이가 아끼는 티셔츠를 다 뜯어놓는 화려한 전적을 쌓았다.

발톱 가위가 도착하고 나서도 며칠간 엄마는 내 발톱에 손대지 않았다. 왠지 자신이 없어 보이기도 했고 막상 이걸 어쩌나 덜컥 겁이 나기도 했을 것이다. 그도 그럴 것이 고양이는 발톱에 혈관이 숨어 있기 때문에 잘못 자르면 피 터진다. 하지만 내가 뒷발로 목 긁다가 목에 상처가 나 피가 나는 걸 보자 엄마는 이대로 내 발톱을 방치할 수 없다는 결심을 굳힌 듯 보였다.

사실 목에 내 스스로 부상을 입힌 건 나도 뜻밖이었다. 평소처럼 발톱으로 목을 벅벅벅벅 긁는데 뭔가 느낌이 이상해서 보니 발톱에 피가 묻어 있었다. 처음엔 발톱이 부러져 피가 나는 줄 알았는데 알고 보니 목에서 나는 피였다. 목을 긁으니 피가 나고 피가 나니 가렵고 가려우니 더 긁어대고 더 긁어대니 피는 더 나고 상처도 더 깊어지는 악순환이 시작되었다.

엄마가 놀라서 서둘러 내 목에 연고를 발라줬고 깔때기 모양의 넥카라를 씌웠다. 환장할 노릇이었다. 습관처럼 목을 긁을 때 넥카라가 막아줘서 목을 보호하는 건 좋은데 그루밍을 못 하는 게 문제였다. 엄마는 하루에 몇 차례 나를 앉혀놓고 넥카라를 풀어주고는 그루밍 할 시간을 주긴 했다. 그럼 나는 열심히 밀린 빨래를 하듯 그루밍을 했고 그러다 또 습관적으로 발톱 목 긁기를 하면 엄마가 잽싸게 발을 탁 잡고는 다시 넥카라를 씌웠다.

이 모든 게 발톱에서 시작된 문제이므로 엄마는 딩초가 학교에서 돌아올 때를 기다렸다가 드디어 발톱 깎기에 도전하게 되었다.

"뚜아 잘 잡고 있어 알았지? 이거 날카로워서 뚜아 놓치면 다칠 수도 있어."

"엄마 걱정 마! 내가 꼭 잡고 있을게. 뚜아야 들었지? 너 얌전히 안 있으면 다친대."

들었노라. 하지만 불허한다. 발톱 깎기 자체도 무서운데 네가 날 잡고 있겠다고? 허허, 이러지 맙시다 우리.

딩초가 내 등을 안았고 엄마가 내 뒷발 하나를 잡

앉다. 발톱 가위의 칼날이 천정 조명에 반사되어 쨍~ 하며 반짝였다. 덜컥 나는 겁이 났다. 엄마의 표정에서 자신감이라고는 찾아볼 수가 없었기 때문이다. 설마···. 발톱이 아니라 발가락 잘리면 어쩌지? 나는 무서워서 몸부림을 쳤고 그 순간 엄마의 얼굴이 너무 가까이 있다는데 생각이 미쳤다. 딩초의 얼굴도 긁어났는데 엄마 얼굴까지 긁어먹을 수는 없는 노릇이었다. 나는 이러지도 못하고 저러지도 못하고 공포에 질린 채 그냥···울었다. 구슬프게 울었다. 누구든 내 울음을 듣고 비통해 하지 않을 수 없도록 나는 울었다.

"그렇게 무작정 뚜아를 울리면 어떡해! 츄르라도 주면서 해야지."

때마침 학교에서 돌아온 딩중이가 슬기로운 의사생활 조정석이 간 이식 수술 집도하는 모습을 본 것처럼 말했다.

"그거 좋은 생각이다. 츄르 꺼내와 어서!"

딩초가 뒤에서 날 안아 내 몸이 고정되었고, 엄마는 내 발을 잡고 발톱 가위를 들고 있었으며 딩중이는 츄르봉지를 뜯었다. 아 이건 정말 대수술이구나. 집도의 엄마, 마취과 교수 딩중이, 펠로우 딩초. 엄마가 드디어 발톱 하나를 잘랐고 나는 고통에 가득 찬 비명을 질렀고 잽싸게 딩중이가 츄르를 짜서 입에 넣어주었다. 아···이놈의 츄르는 마약이 아니고 무엇이더냐. 그다음부터는 일정한 패턴의 리듬감이 흘렀다.

딱! (발톱자름)
아앙!!!!! (절규)
찍! (츄르짜기)
촵촵! (아 맛있어)

딱! 크허허허허~ 찍! 냠냠냠 으흠~ JMT
딱! 우우우오오오오오~ 찍! 촵촵촵촵 아웅 좋아~
딱! 쿠우오오오우웅~ 찍! 츄릅츄릅 핥짝핥짝 츄베
릅촵촵 그래 이 맛이야!

(딩중, 당황한 목소리) "츄르가 다 떨어져 가! 아
직 멀었어?"
(엄마, 이마에 땀을 닦으며) "조금만 더! 츄르 하
나 더 투입!"
(딩초, 걱정스러운 목소리) "츄르 너무 많이 주면
뚜아 설사해!"

품! 하고 웃음이 났다. 세 모녀 발톱수술사건 장면
은 고양이 발톱 깎기 역사에 길이 남을 명장면으로
기억될 것이었다. 뜨거운 논쟁을 거쳐 츄르 추가 투
입이 결정되었고 엄마의 발톱 깎기 스킬은 그 짧은

순간에 비약적으로 발전하였으며 성공적으로 수술을 마친 그들은 만면에 환한 웃음과 만족감을 드러내었다.

남은 츄르를 다 먹고 나서 엄마가 다시 내 목에 넥카라를 씌웠다.

"고생했어 뚜아야. 널 괴롭히려고 하는 게 아니라 널 위해서 이러는 거니까 이해해 주길 바라."

압니다. 알다마다요. 츄르만 주신다면 뭐….

그런데 이 넥카라는 언제쯤 벗을 수 있을는지 흐음….

11. 한밤의 귀신놀이.

금요일 오후, 술 약속이 있었던 아빠를 빼놓고 세 모녀가 안성에 있는 삼촌 집으로 놀러 갔다.

집 나가는 걸 보니 또 주말이 돌아왔구나. 시간의 속도가 류현진이 던진 직구처럼 느껴졌다. 해가 떨어지기 전에 그들이 나갔으므로 불을 켜놓지 않을 줄 알았는데 나가기 직전에 딩중이가 거실 스탠드는 켜고 나가 다행이었다.

아빠는 밤이 늦도록 집에 들어오지 않았고 나는 빈 집에서 달리기도 하고 딩초에게 배운 태극 1장을 연마하며 놀았다. 그러다 밥을 먹고 싱크대에서 떨어지는 물방울을 핥고는 딩중이 침대에서 늘어지게 자고 일어나 뭘 하며 놀지 고민하는데 우연히 스탠드에 드리워진 내 그림자를 보게 됐다.

귀를 쫑긋 세우니까 그림자도 귀 쫑긋, 등을 굽혀 하늘로 올리며 부르르 떠니까 그림자도 부르르. 하요거 봐라? 스탠드에서 멀어지면 그림자는 작아졌고 스탠드에 다가서면 그림자는 커졌다. 원래 나의 체격에 상관없이 내 맘대로 자유롭게 몸집을 키웠다 줄였다. 그림자만 보면 사자 같기도 했는데 사자 역시 고양잇과 동물이니까 뭐 체급만 다를 뿐 사자나 고양이나 거기서 거기다,라고 우겨본다.

한참 그림자놀이를 하면서 놀고 있을 때 아빠가 현관 비번 누르는 소리가 들렸다. 아빠는 엄마와 통화를 하고 있었는데 안성에 잘 도착했냐, 나는 지금 집에 왔다, 술은 많이 먹지 않았다, 등의 대화였다.

나는 잽싸게 현관 밖에서 풍겨오는 아빠의 술 냄새를 맡고는 그가 오늘 밤 나와 놀아줄 정도의 상태를 넘어선 음주를 했음을 알았다. 아빠는 술 먹고 들어오면 엄청나게 코를 골뿐만 아니라 허공에 팔을 휘저으며 잠꼬대까지 하기 때문에 멋모르고 근처에 있다가 그가 휘젓는 팔에 얻어맞거나 다리에 깔리는 수가 있다. 따라서 오늘 밤은 딩초 방에서 자야겠다.

그래도 이 텅 빈 집에 아빠 혼자가 아닌 나도 있다는 것을 알려주기 위해 나는 스텐드 아래에 우뚝 서서 현관을 바라보았다. 현관문이 열리고 중문도 열리고 아빠가 들어왔다.

"크허허헉 깜짝이야! 에이씨! 에잇 젠장할갓데밋!"

아빠는 날 보자마자 깜짝 놀라 그 자리에 주저앉았다. 아니 내가 뭘 했다고? 난 그냥 서 있기만 했는데?

"하필이면 왜 거기 서 있는 거야 대체! 네가 배트맨이야 뭐야! 아오 술이 다 깨네 진짜!"

내가 여기 서 있든 에어컨 꼭대기에 서 있든 당신하고 뭔 상관이야! 거 참 고양이를 뭘로 보고 진짜. 빨리 치카나 하고 잠이나 주무슈!

빈정이 상했다. 내가 무슨 귀신 고양이도 아니고 매일 얼굴 보며 같이 사는 가족인데 대체 왜 놀라는 거람? 수화기 너머에서 엄마까지 놀라서 무슨 일이냐고 묻는 소리가 들렸고 아빠의 설명은 이러했다.

"아니 집에 딱 들어왔는데 거실이 어두운데 스탠드가 켜져 있잖아. 근데 그 스탠드 아래에 뚜아가 딱 서 있는 거야 무슨 어둠의 사자처럼 말이야. 그리고 뚜아 그림자가 겁나 커. 개깜놀 했네 진짜."

전화를 끊은 아빠는 서둘러 거실 등을 켰고 사위가 갑자기 밝아져 나는 눈이 부셨다.

"너 일부러 그랬지 요놈! 나 놀래려고!"

잡히면 입 냄새 공격을 피할 길이 없다. 나는 서둘러 에어컨 뒤로 피신했고 아빠는 그런 날 잡지 않았다. 주정뱅이님 어서 주무시어요.

아빠는 비틀거리며 거실에서부터 화장실까지 번데기가 껍질 벗듯 옷을 하나하나 벗으면서 화장실로 들어갔고 30초 만에 양치질을 하고 나왔다. 양치질은 3분이 국룰인데 3분을 30초로 잘못 알고 있는 건가?

집 안에 모든 등이 꺼졌다. 아빠는 완벽한 어둠을 좋아한다. 그 흔한 수면등 하나 켜는 걸 싫어한다. 그나마 켜져 있던 거실 스탠드까지 끄고는 들어가 곧 코를 골며 잠이 들었고 나는 짙은 어둠 속에 혼자 남겨졌다. 내가 이 집에 온 이후로 이런 완벽한 어둠은 처음이었다. 엄마나 딩중 딩초는 밤에 항상 거실 스탠드를 켜 두기 때문이다. 너무 어두워서 그런지 쉽사리 잠이 오지 않았다. 이왕 이렇게 된 김에 어둠 놀이나 좀 해볼까? 고양이는 원래 야행성이다. 사람과 함께 살다 보니 그들 패턴에 우리가 맞춰주는 것일 뿐 사실 밤에 노는 걸 더 좋아한다.

우선 나는 거실 중앙에 서서 어둠 속에 묻혀 있는 사물을 둘러보았다. 고양이의 수정체는 튀어나와 있기 때문에 외부와 닿는 면적이 넓어 사람에 비해 볼 수 있는 각도가 넓다. 또한 사람이 사물을 감지하기 위해 필요한 빛의 6분의 1 정도만 있어도 고양이는 사물을 볼 수 있다. 약간의 빛만 있다면 어둠 속에서 활동하는 것이 그리 어렵지 않은 것이다.

나는 텔레비전 옆에 있는 딩중이의 피아노 위로 뛰어 올라가다 건반 하나를 밟고 말았다.

"띵~"

아…. 피아노 건반 뚜껑이 열려 있었구나. 사뿐히 뛰어올라 내려앉았음에도 건반 하나가 눌러졌나 보다. 적막하고 어두운 공기를 뚫고 경쾌한 높은 음 하나가 울려 퍼졌다. 딩중이가 피아노 치는 모습은 아름답다. 건반 위를 춤추는 듯한 손가락의 움직임과 연속되는 화음의 선율은 비주얼과 오디오를 동시에 만족시키는 예술 그 자체였다.

오늘은 내가 딩중이를 대신하여 피아노를 연주할 것이다. 지금은 깊은 밤이니까 야상곡(夜想曲), 일명 녹턴(Nocturne)이 좋겠다. 야상곡은 김윤아 가수가 부른 야상곡이 좋고 녹턴은 이은미 가수가 부른 녹턴이 좋은데 피아노 연주는 쇼팽의 녹턴이 좋다. 딩중이도 쇼팽의 녹턴을 종종 치곤하는데 아빠는 녹턴이 아닌 쇼팽의 왈츠 7번을 유난히 좋아해서 술 먹고 들어오면 딩중이에게 용돈을 쥐여 주고는 쇼팽의 왈츠 7번을 청하곤 했다.

나는 어둠 속에서 네 개의 발을 움직여 쇼팽의 녹턴을 연주하기 시작했다. 서당 집 개 3년이면 풍월을 읊고 분식집 개 3년이면 라면을 끓인다고 하는데 나는 개도 아니고 이 집에서 아직 3년은 되지 않았으므로 그냥 딩중이의 어깨너머로 조금 배운 걸 가지고 흥내만 내보려는 것이다. 짙은 어둠의 싸늘한 공기를 타고 나의 피아노 연주는 집안 곳곳으로 퍼져 나갔고 나의 네 개의 발은 정신없이 건반 위를 날아다녔다. 그리고 연주가 절정으로 치닫는 바로 그때 거실등이 켜졌다.

"하아……."

아빠가 나를 보며 땅이 꺼져라 한숨을 쉬었다. 그의 이마엔 식은땀이 맺혀 있었고 꼭 쥐었던 주먹을 펴니 손바닥에도 한가득 땀이 흥건했다.

"오밤중에 너 뭐 하냐. 피아노 뚜껑을 얘들이 왜 안 닫았…하아…."

아빠가 다가와 피아노 건반 뚜껑을 닫으며 나지막

이 "귀신인 줄 알았네." 하고 말해서 나는 조금 미안하기도 하고 웃기기도 했는데 만약 귀신이 있다면 내가 먼저 알아챘을 것이기 때문이다. 고양이는 사람의 영혼을 보호하는 동물이다. 그런 내가 오히려 귀신인 줄 알았다니, 하긴 아빠 입장에서는 내가 피아노를 칠 거라고 전혀 예상하지 못했을 테니까, 아무튼 쏴리~

아빠는 다시 잠이 들었고 나는 여전히 잠이 오지 않아 야식으로 사료를 먹고 딩초의 방에 들어가 딩초 옷에 묻은 냄새를 맡았다. 오늘따라 유난히 보고 싶네 진격의 최헐크. 그러다 아까 아빠를 잠에서 깨운 것이 갑자기 미안해져서 안방으로 들어갔다. 아빠는 코를 골지는 않았지만 편안한 모습으로 잠들어 있었다. 그리고 아빠가 누워 있는 침대 옆에……. 아…어항이 있었네.

나는 어항 위로 뛰어 올라가 화들짝 놀라 바닥에 납작 엎드린 네 마리의 금붕어를 내려다보았다. 살이 통통하게 오른 금붕어는 바닥에 찰싹 달라붙은 채로 움직일 생각을 하지 않았다. 군침이 돌았다. 고양이한테 생선을 맡긴 격이라는 속담이 있을 만큼 고양이는 생선을 좋아한다고 다들 알고 있지만 사실 고양이는 생선보다는 고기를 더 좋아한다. 오히려 고양이에게 생선을 주면 박테리아 같은 세균 때문에 기생충이나 식중독이 생길 수 있고 사람이 먹는 참치캔도 지방이 많아서 고양이한테는 별로다.

내가 어항을 내려다보며 군침을 흘리는 이유는 금붕어를 잡아먹을 생각이 들어서 그런 것이 아니라 물속에서 움직이는 모습이 귀여워서 사냥 본능을 일깨웠기 때문이다. 하지만 금붕어들은 나의 존재를 인식하고는 바닥에서 움직이지 않았는데 언제까지 이렇게 군침만 흘리고 있을 수는 없는 노릇이었다.

금붕어 기억력이 3초라서 잘 깜빡깜빡하는 사람에게 금붕어 대가리라고 놀리는 일이 있는데 금붕어 기억력은 3초가 아닐뿐더러 생각보다 머리가 좋아서 이런 경우 수면 위에 고양이 한 마리가 자기들을 노리고 있다는 사실을 결코 잊지 않을 것이었다.

어항 뚜껑에 길게 파여 있는 홈에 앞발 하나를 넣었다. 물은 실내 온도와 비슷해서 차갑지 않았고 차갑지 않은 물에 발을 넣자 나는 기분이 좋아져 물을 마구 휘저었다.

잔잔한 어항 수면으로 내가 만든 물결이 일렁였다. 오호 이거 재밌는데? 나는 좀 더 발을 깊이 넣고 마치 수영을 하듯 물을 휘저었고 바닥에 붙어 있던 금붕어들이 드디어 움직이기 시작했다.

촬랑~ 촬랑~ 하는 물결치는 소리와 함께 금붕어들은 바닥에서 몸부림을 치다가 수면 쪽으로 올라왔는데 내가 발을 쭉 뻗어서 금붕어를 잡을만하면 도로 쏙 내려가고 잡을만하면 옆으로 싹 피하고, 재

밍기도 하고 킹 받기도 하고 승부욕을 자극하는 금붕어들이었다. 물질만 해서는 잡기가 힘들겠군, 그렇다면 옆에 있는 금붕어 사료통을 엎어서 미끼로 유인할까? 아…그러기엔 리스크가 너무 크다. 내일 엄마가 집에 돌아와 이 사태를 보게 된다면 날 가만두지 않을 것이다. 도구를 이용하지 말고 그냥 내 힘으로 금붕어를 잡아서 갖고 놀다가 다시 놔줘야겠다.

나는 어항 뚜껑 바닥에 최대한 몸을 밀착시켰고 왼쪽 앞발은 최대한 깊숙이 넣었으며 오른쪽 앞발은 금붕어를 낚아채기 위해 언제라도 수면으로 투입시킬 준비를 마친 상태였다. 왼쪽 발로 물을 휘저어서 금붕어들이 올라오면 오른쪽 발로 낚아 올린다, 바로 그거였다.

있는 힘을 다해 물을 휘저었고 배가 노 젓는 소리가 방 안에 울려 퍼졌으며 외마디 비명과 함께 아빠가 일어나 불을 켰다.

"이 새꺄! 해도 해도 너무한다! 왜 이 오밤중에 금붕어를…어항을 왜…거긴 왜 기어올랏 하아……."

머리를 감싸 쥐고 아빠는 울먹이며 말했다.

"또 귀신인 줄 알았네. 물귀신인 줄 알았네…. 오늘 잠은 다 잤네….

다음날 집으로 돌아온 엄마와 딩중 딩초를 앞에 두고 아빠는 간밤의 귀신사건에 대해 지극히 개인적인 관점으로 나를 고자질했고 딩중이의 피아노는 거실에서 딩중이 방으로 옮겨졌으며 안방 어항 뚜껑은 내 발이 들어가지 않을 정도의 구멍만 남기고 밀봉되었다.

12. 산책.

두 번째 탈출의 기회가 찾아왔다.

딩중이와 딩초가 학교에 가고 아빠는 회사에 가고 엄마는 집에서 일을 하고 있던 여느 때와 다름없는 날이었다. 현관 벨 소리가 울렸고 엄마가 문을 열었는데 6층에 사는 키 큰 언니가 서 있었다. 방문 목적은 엄마에게 뭔가를 주기 위함이었는데 그들은 안으로 들어오지 않고 문을 연 채로 담소를 나누었다.

나는 고민할 필요도 없이 탈출을 실행하였고 너무 쏜살같이 튀어 나가면 그들이 날 알아챌 것이므로 마치 매일 아침 제시간에 출근하는 아빠처럼 자연스럽게, 이렇게 문밖을 나가는 게 당연한 고양이처럼 느린 걸음으로 빠져나왔다. 걸음은 느렸지만 행동에는 군더더기가 없었고 자연의 일부처럼, 공기처럼 그렇게 샤라락 나왔으므로 그들은 날 전혀 눈치채지 못했다.

현관을 나온 나는 지난번 아파트 밖으로 나가지 않고 멍청하게 계단을 타고 올라간 떨떨한 짓을 또 한 번 하고 말았는데 진짜 관성처럼 아주 자연스럽게, 2층에 무슨 볼 일이 있는 고양이처럼 문밖을 나오자마자 곧바로 계단을 타고 올라갔다. 올라가면서 아…여길 왜 또 올라가고 있냐 밖으로 나갔어야지 이 바보야! 하는 자책을 하였으나 이미 때는 늦었다.

지난번과 달라진 점이 있다면 3층에 있는 개가 짖었지만 아랑곳하지 않고 그냥 지나쳐 5층까지 올라갔다는 사실이었다. 반복된 실수에 내 스스로 짜증이 나있던 상태라 3층 개가 튀어나왔어도 일전을 불사를 기분이었고 그랬다면 그 개새끼는 오늘 바이바이 두바이행 지옥 열차를 타는 날이 되었을 것이다. 5층에서 멈춘 이유는 힘이 들었기 때문이었다. 집에만 있었더니 체력이 점점 떨어지는 게 느껴진다. 고양이 카페에 있을 때는 주기적으로 다른 고양이들과 이종격투기도 하고 레슬링도 하고 축구도 하면서 체력을 길러왔는데 지금은 높은 곳으로 뛰어 오르거나 기껏해야 거실 끝에서부터 주방까지 짧은 거리를 달리는 것이 전부였다.

그나마 주방 끝에서 속도를 줄이지 못해 미끄러운 바닥에 쭉 밀려서 싱크대 밑 부분 걸레받이에 몸을 들이 받치곤 했다. 5층에서 나는 그냥 앉아 있었고 엄마가 계단을 밟고 올라오는 소리가 들렸다. 엄마는 지난번에도 내가 탈출해서 기껏 간 곳이 위층이었다는 사실을 기억하고는 곧바로 내 뒤를 쫓아 올라왔다.

"뚜아야 너 그렇게 밖으로 나가고 싶어?"

나는 강력한 긍정의 뜻을 담아 애처롭게 야옹거렸고 나를 안고 집으로 들어간 엄마는 즉시 고양이용 목줄을 주문했다.

다음날 새벽에 나의 목줄이 도착했다.(새벽 배송 넘나 좋은 것. 플렉스 여러분 힘내세요!) 목줄이 들어있었던 택배 상자 안에 들어가 엄마가 포장 뜯는 모습을 보는데 자세히 보니 목줄은 목줄이 아니고 엄밀히 말해 가슴 줄이었다. 개들이 차고 다니는 목줄을 볼 때마다 목이 조이면 얼마나 아플까 생각하며 걱정했는데 다행이었다. 엄마는 시험 삼아 나에게 가슴 줄을 채웠고 디자인도 감촉도 나쁘지 않았다. 자! 나는 준비가 끝났으니 이제 나갑시다!

첫 산책의 영광은 딩초가 차지했다.

"끈 짧게 잡고 줄 느슨해지는지 잘 봐야 한다?"

엄마가 딩초에게 신신당부를 했고 딩초는 나와 새로운 놀이를 할 수 있게 되어 감격스러워했다. 가슴은 목과는 달라서 너무 꽉 조이지 않는 이상 아프지 않지만 그래도 내가 아플까 봐 느슨하게 가슴 줄을 채우는 그들을 보며 어쩌면 나는 의도적으로 영원히 탈출에 실패할는지도 모르겠다. 딩초의 손에 이끌려 드디어 공식적으로 밖으로 나갔고 엄마가 혹시나 모를 사태에 대비하여 뒤를 따랐다.

밖으로 나가니 사방에서 날아드는 냄새가 낯설었지만 싱그러운 봄 내음과 풋풋한 풀잎의 향기가 너무 달콤했다. 놀이터 쪽을 향해 몇 걸음을 걷다가 나는 불쑥 찾아 든 불쾌한 타묘(他猫)의 냄새 앞에서 그대로 뒹굴어 내 냄새를 묻혔다. 이 장소를 드나드는 고양이는 적어도 10마리 정도, 크기는 제각각, 가장 큰 녀석은 나보다 덩치가 두 배쯤으로 추정된다. 그리고 녀석들은 이 근처에 있다. 어디냐! 나와라! 당당하게 한 판 붙자! 크허허헉~! 하악!

순간 놀이터 뒤쪽 나무 벤치 밑에서 여러 개의 눈동자가 번쩍였다. 저놈들이구나! 나는 혼자고 녀석들은 다수의 무리를 이루고 있으므로 이 싸움을 승리로 이끌기 위해서는 이순신 장군의 학익진(鶴翼陣) 아니, 기습 돌파가 답이다. 하지만 딩초 손에 연결되어 있는 가슴 줄을 고려해야 한다. 호기롭게 기습을 시도했다가 돌진하자마자 가슴 줄에 걸려 고꾸라지면 저놈들 앞에서 그게 무슨 개쪽인가. 작전을 바꿔서 일단 공포의 하악질로 기세를 꺾어놔야겠다. 기세가 꺾인 녀석들이 알아서 항복하여 내 부하가 된다면 내 기꺼이 저들에게 자비를 베풀리라.

녀석들은 내가 다가가자 하악질을 시작했고 나 역시도 질세라 있는 힘껏 더 큰 하악질로 대응했다. 거리가 좁혀지고 나는 갈고 닦⋯지는 않았지만 어쨌든 매서운 송곳니를 드러내며 발톱까지 내밀었다(최근에 발톱 깎아서 하잘것없는 내 발톱⋯). 그러자 녀석들이 꼬리를 내리고 귀까지 내리기 시작했으며 발길질이 닿을 거리까지 좁혀지자 놈들은 꽁무니를 빼고 달아났다. 완벽한 나의 승리였다. 역시 난 야생 체질인 거고 집에서만 썩기에는 너무도 아까운 전사 고양이가 된 것 같아서 기분이 한껏 우쭐해졌다.

나는 놀이터 주변을 충분히 활보하며 마음껏 내 냄새를 곳곳에 묻혀 놓았다. 이제 나의 영역은 집구석에서 확장되어 최소한 집 앞 놀이터 주변까지는 내가 점령한 셈이 되었다. 그러다 문득 뒤를 돌아 딩초를 바라보았다. 딩초는 사랑이 가득 담긴 눈으로 날 바라보고 있었고 내가 움직이는 대로 보조를 맞춰 따라왔으며 마치 나의 호위병처럼 날 보좌하였다.

아…어쩌면 들고양이들이 도망친 것은 나의 하악질 때문이 아니라 내 뒤에 있는 딩초 때문이 아니었을까. 영화 라이언킹이 떠올랐다. 어린 사자 심바가 사자들이 잔뜩 모여있는 광장 꼭대기에 올라 크게 울부짖었을 때 밑에 있던 사자들이 일제히 고개를 숙였는데 그 이유는 심바가 무서워서가 아니라 심바 뒤에 서있던 사자왕 아빠 무파사 때문이었다. 그렇구나. 그랬구나. 내가 잘나서가 아니라 내 뒤에 있는 딩초 때문에 녀석들이 도망친 거였어. 나는 좌절했다.

"에잇! 역시 난 떠나는 게 좋겠어!"

비참한 기분이 된 나는 옆 구르기 두 번, 백스텝 세 번으로 간단하게 가슴 줄에서 풀려나 주차장 쪽으로 질주했고 당황한 딩초는 소리를 질렀으며 멀찌감치 있던 엄마도 깜짝 놀라 날 잡으려 뛰기 시작했다.

"애들아 쟤 잡아! 저 고양이 잡아! 쟤 잡으면 내가 사탕 사줄게!"

딩초가 소리 지르는 모습을 본 놀이터의 잼민이들이 동요하기 시작했다.

"저 언니 진격의 최헐크 언니잖아?"

"맞아 저 누나 태권도 2단 누나야. 우리 앞에서 맨날 다리 찢기 하는 누나."

"뭐해! 빨리 쟤 잡으라고!"

놀이터의 딩초들이 떼거지로 나에게 달려들었고 그 모습은 흡사 백만 대군을 이끌고 남한산성을 포위한 청나라 군대 같았다. 맞서 싸울 것인가 순순히 잡혀서 능욕을 당할 것인가! 잼민이들은 딩초에게 공을 세우기 위해 서로 먼저 날 잡으려고 눈에 쌍심지를 켠 채 달려들었고 나는 결국 그 중 한 명에게 잡히고 말았다. 인조 임금처럼 세 번 절하고 아홉 번 머리를 조아리지는 않았지만 잼민이들 아우성에 쫄아서 그 고사리 같은 손에 잡혔다는 사실이 못내 치욕적이었다.

그것으로 그날의 산책은 끝이었다.

집으로 컴백한 나는 화장실 욕조에서 목욕을 해야 했고 다음에도 종종 산책을 했지만 가슴 줄은 한

단계 더 조여서 채워졌으며 이후로는 탈출을 시도할 수 없었다. 내가 탈출을 더 이상 시도하지 않자 엄마는 딩중이나 딩초 학원 픽업할 때 날 데려갔으며 덕분에 드라이브를 즐기는 고양이가 될 수 있었다.

나의 영역을 확장한 것으로 만족한다. 그리고 산책을 자주 할 수 있어서 나름 행복하다. 산책이 하고 싶어지면 중문을 앞발로 열고 나가 현관문 앞에서 야옹 거리면 된다. 그러면 딩중이든 딩초든 엄마든 나를 데리고 밖으로 나가준다. 신선한 공기 냄새를 맡고 싸가지 없이 내 영역에 들어와 냄새를 묻히고 사라진 놈들의 냄새를 공포의 옆 구르기로 내 냄새로 치환해 버리는 기분이 쏠쏠하다. 그렇게 나의 영역은 계속해서 확장되어 갈 것이다.

13. 강릉 가는 길.

술 먹고 들어온 아빠가 들어오자마자 발갛게 상기된 얼굴로 강릉에 전세를 얻었다고 말했다.

처음엔 이사를 가려는가 싶어 아찔했다. 이사 갈 때 버려지는 유기묘들이 많다는 얘기를 들었기 때문이다. 틈틈이 탈출을 꿈꾸지만 그건 어디까지나 내가 탈출하는 것이므로 나의 의지에 의한 주도적인 독립이 되어야 한다. 버려지는 건 다른 얘기다. 결과는 같지만 의미는 결코 같지 않은 것이다. 마치 비 오는 날 우산을 손에 들고 비를 맞느냐, 아니면 우산이 없어서 비를 맞느냐의 차이와 같다.

"낡은 주공 아파트인데 경포해수욕장이랑 차로 5분 밖에 걸리지 않아. 거실 없는 투룸이고 3천만 원이니까 그다지 비싸지도 않고."

"3천만 원이 없잖아. 적금 깨? 주식 다 팔아?"

"대출을 받아야지. 자 봐봐."

"보고 있어."

"지금 금리가 3%쯤 하니까 3천만 원에 3% 하면 얼마지?"

"90만 원이지."

"그럼 한 달이면?"

"그냥 알아서 계산해서 말하면 안 돼?"

"7만 5천 원이야."

"응 정답이야. 산수 잘하네. 수학이라는 과목이 없었으면 서울대 갔을 거라고 맨날 그러더니."

"우리 캠핑장 1박 2일 가면 얼마냐?"

"5만 원이지."

"우리가 한 달에 캠핑장을 한 번만 가? 두 번 갈 때도 있고 연휴 때는 2박 3일 가기도 하고 그러잖아?"

"그건 그렇지."

"그럼 그것만 해도 10만 원이지. 여름 성수기나 크리스마스 막 이럴 때 그땐 어쩔 거야."

"뭘 어째."

"아니 그때는 부르는 게 값이잖아. 그나마 숙소 구하기도 어렵고 말이야."

"그렇지."

"즉 우리가 한 달에 여행 비용으로 쓰는 돈이 숙소만 10만 원이 넘는단 말이지."

"맞아."

"그런데 강릉에 3천 짜리 전세를 얻으면 한 달 7만 5천 원에 해결이 된다 그 말이야. 게다가 숙소 예약도 필요 없고 그냥 가고 싶으면 막 가 그냥 확 마!"

"그렇지만 강릉만 가야 되잖아. 다른 데는 못 가잖아."

"어허이~ 하나만 알고 둘은 모르네. 강릉을 베이스로 해서 위로는 양양 속초 찍고 고성까지 가서 북한 마을도 좀 구경하고 어? 남쪽으로는 정동진

묵호 동해 삼척 캬~ 동해안을 다 그냥 막 어? 싸 그리 훑어 버리는 거야!"

"계약을 했다고?"

"응…."

"집은 봤어?"

"이번 주말에 가서 보면 되지."

"하긴…. 거기서 살 거는 아니니까."

아빠도, 엄마도 제정신이 아닌 것 같았다. 아무리 여행에 미친 가족이라고는 하지만 멀쩡한 집을 놔 두고 여행을 다니기 위해 전세를 얻다니. 내가 알기론 이들은 강릉에 아무 연고가 없었다. 그곳엔 그저 바다가 있을 뿐이었다. 바다…. 나는 태어나서 한 번도 바다를 본 적이 없다. 바다는 어떤 곳일까. 어떤 느낌일까. 어떤 냄새가 불어올까. 그런데 이들이 강릉에 날 데려가긴 할까?

"아빠! 그럼 이번 주말에 뚜아도 데려가는 거지?"

역시 내 생각 해주는 건 딩초뿐이다.

"3시간을 가야 하는데 뚜아가 차 안에서 버틸 수 있을까?"

버틸 수 있고말고! 암! 그렇고말고!

나는 있는 힘껏 긍정의 몸짓을 표현하기 위해 아빠 앞에서 옆 구르기를 한 판 했고 엄마 다리에 부비부비를 했으며 딩초의 품 안에서 골골거리기까지 했다.

"뚜아가 버틸 수 있대! 이거 봐봐 좋아하잖아."

그리하여 그 주 주말 금요일, 아빠가 퇴근한 오후에 우리는 강릉을 향해 출발했다. 옷을 넣은 캐리어와 작아서 더 이상 쓰지 않는 나의 화장실과 모래, 디자인이 촌스러워 맘에 들지 않지만 그럭저럭 며칠간은 눈 딱 감고 사용해 줄 수 있는 밥그릇과 물그릇까지 챙겼다.

아빠 차를 타고 짧은 거리를 다닌 적은 있었지만 몇 시간씩 가야 하는 장거리는 처음이었다. 이 여행을 성공적으로 마치면 이들은 강릉에 갈 때마다 날 데리고 갈 것이었으므로 우선 아빠 차에서 내 좌석을 확보하는 일이 시급했다. 운전석엔 아빠가 앉았고 조수석엔 딩중이가 앉았다. 뒷좌석 좌측은 엄마, 우측은 딩초의 차지였으므로 내가 선택할 수 있는 자리는 트렁크, 뒷좌석 가운데 팔걸이, 앞좌석 운전석과 조수석 중간에 있는 글로브 박스 정도였다.

트렁크는 일단 넓다. 화장실도 있고 밥그릇과 물그릇까지 있다. 있어야 할 게 다 있고 넓긴 하지만 시야가 후방으로 한정된다. 게다가 앞에 있다가 화장실 가고 싶으면 뒤로 넘어오면 그만이다. 굳이 트렁크에서 3시간을 다 보낼 필요는 없다. 뒷좌석 가운데 팔걸이는 불편하다. 딩초가 수시로 팔을 걸치기도 하고 길게 누워 자기도 한다. 따라서 남은 좌석은 운전석과 조수석 사이 중간에 있는 글로브 박스

밖에 없는데 사실 자리가 중요한 것은 아니다. 사람은 안전벨트를 매야 하지만 고양이까지 안전벨트를 매야 한다는 규정은 없기 때문에 나는 이 차 안에서 이곳저곳 내가 누비고 싶은 대로 그냥 돌아다니면 되는 거였다.

찬란하게 번지는 노을을 등지고 아빠의 SUV는 강릉을 향해 거침없이 영동고속도로를 질주했고 나는 처음 경험해 보는 속도감에 살짝 멀미가 나려고 했다. 혹시나 토하는 모습을 보일까 싶어 얼른 트렁크로 가서 물을 마시고는 멀어져 가는 서쪽 하늘을 보았다. 노을이 원래 저렇게 아름다운 것이었던가. 서쪽을 향해 계속해서 가다 보면 저 노을의 중심으로 들어갈 수 있게 될까. 혹시나 노을 안에서, 노을 빛처럼 타버리면 어쩌나.

멀미가 진정되는 것 같아 나는 뒷좌석 딩초의 무릎에 다리를 고정하고는 지나치는, 혹은 앞서가는 차들을 구경했다. 우리는 강릉으로 가는데 저들은 어디로 가는 걸까.

어쩌면 우리네 인생, 아니 묘생도 마찬가지가 아닐까. 인천에서부터 강릉까지 이어져 있는 영동고속도로가 인생이라고 친다면 북수원 IC에서 올라탄 우리가 용인 IC나 양지 IC에서 올라탄 차들보다 더 먼저 인생길에 오른 것이다. 하지만 북수원 IC에서 올라탄 차나 용인 IC에서 올라탄 차나 현재 동시대를 달리고 있는 건 마찬가지고 함께 달리다가 각자의 목적지에 맞게 고속도로에서 내릴 것이다. 마찬가지로 나도, 다른 고양이들도, 다른 인간들도 동시대를 살아가고 같은 시간 속에 있지만 잠시 같이 있다가 결국은 뿔뿔이 헤어지게 되는 것이다. 고속도로에 먼저 올랐다고 먼저 내리는 것도 아니고 늦게 올랐다고 늦게 내리는 것도 아니다. 그냥 각자의 이정표대로 IN, OUT을 할 뿐이며 우리는 그냥 함께 있는 시간 동안이나마 잘 지내다가 잘 헤어지면 그뿐인 존재일지도 모르겠다(아…. 이놈의 철학 고양이 어쩌쓰까잉).

앞쪽 내 자리에 우뚝 서서 정면을 보았다. 속도감이 느껴지면서 도로를 달리는 차들의 빨간 후미등이 마치 불꽃놀이처럼 아름다웠고 반대 차선에서 마주 오는 헤드라이트 불빛들에 눈이 부셨다. 그렇다. 백미러로 보이던 노을은 어느덧 사라지고 어둠이 깔리고 있었던 것이다. 나는 글로브 박스에 몸을 웅크리고 앉아 꾸벅꾸벅 졸다가 아빠가 속도를 줄이면 앞으로 쏠리는 몸을 앞발로 기어봉을 척 짚으며 버텨내는 수준까지 이르렀다.

생각보다 빨리 강릉 집에 도착했다. 아빠와 엄마 딩중이까지 짐을 날라야 했기 때문에 나는 딩초 품에 안긴 채 계단을 타고 집으로 올라갔다. 이들이 얻은 전셋집은 5층 건물에 5층이었는데 엘리베이터가 없었다. 아빠는 땀을 뻘뻘 흘리며 5층 계단을 오르락내리락했고 이 집에 처음 왔기 때문에 이불, 전기장판, 주방용품 등 짐이 많았다, 물론 내 짐도 헤헤.

집에서 오래 묵은 공기 냄새가 났고 희미하게 비린내 비슷한 냄새가 났다. 이거구나 바다 냄새. 나는 바다를 본 적도 없고 바다 냄새를 직접 맡은 적도 없지만 느낌으로 알 수 있었다. 이 냄새엔 물고기 비린내와 해조류 냄새가 섞여 있다. 근처에 바다가 있구나…. 바다를 한 번…볼 수 있을까.

"차 밀릴까 봐 너무 급하게 왔나 봐. 배고프다."

저녁도 안 먹고 달려온 터라 다들 배고픈 모양이었다. 딩중이가 내 밥그릇에 사료를 부어 주었고 물도 담아 주었기 때문에 나는 이미 저녁을 먹는 중이었다. 엄마가 집에서 가져온 냄비에 물을 끓였는데 난 정신없이 밥을 먹고 볼일을 보느라 엄마가 가스레인지에 불을 붙이는 걸 보지 못하고 싱크대 위로 뛰어올랐다가 털 끝을 태워먹고 말았다.

낯선 환경에 놓이게 되면 항상 조심해야 하는데 이들과 함께 살다 보니 안락한 삶에 젖어, 위험한 상황에 놓일 일이 거의 없어 조심성을 잊고 살았던 것 같다. 그들은 라면을 먹었고 나는 이 집 구석구석 탐험을 하며 놀았다. 확실히 강릉의 냄새는 달랐다. 이따금씩 불어오는 바다 냄새와 근처 병원에서 실려온 알코올 냄새, 그리고 멀리서 들려오는 강릉 인들의 언어 톤은 지금껏 내가 겪어보지 못한 것들이었다.

이곳이 강릉이라는 곳이구나. 내일은 바다에 간다는데 꼭 날 데리고 갔으면 좋겠다.

14. 백사장의 제왕.

아침이 밝았다.

동쪽에 위치한 작은 베란다에 기름보일러와 거대한 기름통이 있는데 기름 냄새 때문에 머리가 아플 지경이었다. 아무리 옛날 아파트라고는 하지만 아니 기름보일러가 웬 말인가 말이다.

아빠는 기름보일러를 보자마자 경악했는데 그 이유는 보일러를 돌리기 위해 기름통 들고 직접 주유소에 가서 기름을 받아 양손에 하나씩 들고 5층까지 올라와야 했기 때문이다. 아빠에게 있어 이 집은 어쩌면 진천 올림픽 선수촌인지도 모르겠다. 간밤에 피곤해서 그랬는지 이들 가족은 웅장한 보일러 소리를 들으면서도 코까지 골며 잘 잤는데 나는 난생 처음 들어보는 소리에 깜짝깜짝 놀라 제대로 잠을 이룰 수 없었다.

이렇듯 탐탁지 않은 보일러지만 나는 보일러 기름통 위에 올라가 있었다. 이곳에서 갓 떠오른 싱싱한 오늘의 태양을 볼 수 있기 때문이었다. 비록 일출 장면까지는 아니지만 그래도 올라온 지 얼마 되지 않은 오늘의 태양은 웅장하고 장엄하고 숭고했다. 어제 강릉에 올 때 서쪽으로 지던 노을이 떠올랐다. 그 노을도 처음에는 이렇게 싱싱한 태양이었을 것이다. 지금 내 모습도 저 태양처럼 싱그러운 모습일까. 그렇다 하더라도 세월이 흘러 언젠가는 나도 어제 본 노을처럼 흐물흐물해질 걸 생각하니 묘생의

덧없음이 꼭두새벽부터 차오른다.

안방으로 들어가 자고 있는 가족들의 모습을 바라보았다. 수원 집에 있었다면 각자의 방에서 따로 잠을 잤을 이들은 이곳 여행지에서 한 방에 나란히 누워 잠을 자고 있었다. 엄마 옆에 누워 있는 딩중이는 엄마의 얼굴을 닮았고 그 옆에 있는 딩초는 딩중이를 닮았다. 딩초 옆에 누워 있는 아빠는…. 뭐야, 교집합이 없잖아?

끼야옹 하악~!

크허허헉!

아빠를 내려다보고 있는데 갑자기 눈을 번쩍 떠서 깜짝 놀라 비명을 지르는 나를 보고 아빠가 놀라 소리를 질렀다. 이 양반하고는 궁합 참 안 맞는다. 서로 쳐다보고 놀라다니.

"깜짝 놀랐네 이 자식!"

투덜거리며 일어나는 아빠의 태도가 못마땅했다. 내가 대체 뭘 잘못했다고. 빈정이 상한 나는 삐뚤어지고 싶어져서 딩초의 뺨을 핥고 딩중이의 긴 머리를 이빨로 잡아당겼으며 엄마 귀에 대고 야옹야옹 골골골골 했다. 일어나! 일어나라고! 아빠랑 나랑 둘이서만 눈 말똥말똥 뜨고 있게 하지 말라고!

이들의 오늘 첫 일정은 경포 해변에 가는 것이었고 나는 어떻게 해서든 이들과 함께 길을 나서길 바랐다. 낯선 집에 혼자 있기도 싫었거니와 그 무엇보다 바다를 한 번 직접 보고 싶었기 때문이었다. 이들이 한 명씩 화장실에 들어가 씻고 옷을 입는 동안 나는 이미 아침식사를 마치고 그루밍까지 깔끔하게 끝냈으며 시원하게 생리현상까지 해결한 상태였다.

문 앞에 서서 마치 "날 쏘고 가라."고 외친 어느 영화의 주인공처럼 나는 꼿꼿하게 서 있었고 그런 나를 아빠는 입맛까지 다시며 쳐다보다가 엄마한테 말했다.

"뚜아 데리고 바다에 가면 뚜아 놀랄까?"

"놀라는지 안 놀라는지 데리고 가보면 알지. 놀라면 차에 있으라고 하면 되고 안 놀라면 그냥 바닷가에서 놀면 되고."

"얘를 데리고 가? 말어?"

"데리고 가자! 데리고 가 아빠!"

"바닷가에서 애 놓치면 찾을 길이 없는데…."

"절대 안 놓쳐. 목줄 채워서 내가 딱 잡고 있을 거야. 걱정 마."

딩중딩초 자매가 합심하여 목소리를 높여준 덕분에 나는 드디어 이들과 함께 경포 해변으로 향할 수 있었다. 10분 정도 달렸을까. 왼편으로 거대한 물웅덩이가 보여 처음엔 이곳이 바다인 줄 알았는데 알고 보니 호수였다. 경포호라고 불리는 이 호수는 정말 컸고 오리들과 새들이 무리를 지어 놀고 있어서 보자마자 사냥 본능이 꿈틀거렸다. 하지만 이들은 경포호를 지나쳐 오른 편으로 접어든 후 차를 세웠다.

"뚜아 목줄 채우자."

가슴이 두근대기 시작했다. 드디어 바다를 만나러 갈 시간이구나. 엄마는 평소보다 조금 더 타이트하게 나의 가슴 줄을 채운 후 차 문을 열었다. 비릿한 냄새가 훅 하고 끼쳤다. 아주 진한, 바다 냄새였다. 차에서 내린 나는 딩중이 품에 안긴 채 천천히 바다와 가까워졌고 온갖 스트레스가 다 날아갈 법한 푸르른 소나무 밭을 가로질러 계속 나아갔다. 그리곤 곧 백사장이 나타났다.

딩중이는 나를 백사장에 조심스럽게 내려놓았다. 처음 백사장에 발을 내딛던 그 촉감을 기억한다. 모래가 너무 부드러워 발바닥 젤리가 녹아버리는 기분이었다. 저 멀리 바다가 보이고 주위에서 내가 이제껏 맡아보지 못했던 냄새들이 날아들었다. 나는 잠시 정신이 아득해져 움직이지 못하고 그 자리에 그냥 서서 마음을 진정시켰다. 자, 이젠 됐다. 좀 더 가까이 바다 쪽으로 가야겠다. 그러나 내가 걸음을 막 옮기려 할 때 지나가던 사람들이 나에게 관심을 보이며 몰려들었다.

"어머! 난 강아진줄 알았네! 고양이도 이렇게 목줄을 채워서 산책을 하는구나!"

"우와 애 진짜 귀엽다! 눈 초롱초롱 한 것 좀 봐!"

"바다에서 고양이 처음 본다! 바다구경 하는 고양이 진짜 처음이야!"

그럴 것이다. 산책하는 고양이도 흔치 않은 일인데 바다 구경하는 고양이는 더 흔치 않을 것이다. 사실 고양이 산책은 위험하다. 개는 도망가도 보호자가 부르면 다시 달려오지만 고양이는 그렇지 않다. 개처럼 보호자 말을 고분고분 듣지 않는다. 그래서 위험하다. 도망가면 찾을 길이 없다. 하지만 나의 집사들은 위험을 감수하며 나에게 풍부한 경험을 선사해 주려고 노력한다. 나 좀 집사 복 있는 고양이인 듯 훗! 어쨌거나 이 경포 해변도 오늘부로 내가 접수한다.

"애 한번 만져봐도 돼요?"

고딩으로 추정되는 소녀 하나가 자신의 엄마와 함께 지나가다가 딩중이에게 물었고 딩중이는 흔쾌히 그러라고 했네. 귀찮게 됐네. 빨리 바다 가까이 가고 싶은데 말이다. 소녀는 조심스레 내 머리를 쓰다듬다가 내가 그다지 싫은 기색을 내보이지 않자 자신감이 붙어 볼, 턱까지 만졌고 난 서비스 차원에서 골골송을 들려주었다. 소녀는 감격에 찬 눈빛으로 자신의 엄마를 휙 돌아보았다.

"엄마! 나 고양이 사줘."

골골송을 멈추었다. 고양이가 물건이냐? 엄마, 나 고양이 모시고 싶어,라고 해야지! 하지만 소녀가 오늘 날 만난 것을 계기로 고양이의 묘권 신장 및 고양이 보호, 고양이 러브홀릭이 된다면 그것 또한 의미 있는 일이 될 것이다. 그때 아주머니 한 분이 나보다 몸집이 조금 큰 개를 끌고 등장했다.

목줄이 채워진 그 개는 그다지 위협적이지 않았으므로 평소라면 하악질을 했을 테지만 지금은 그러지 않았다. 개가 위협적이지 않은 것도 있었지만 나는 일단 기분이 좋은 상태였고 이미 경포 해변의 대스타가 되었으므로 하찮은 개 따위에게 하악질을 함으로써 내 스스로 나의 권위를 떨어뜨릴 이유도 없었다.

딩중이의 에스코트를 받으며 나는 드디어 바다를 코앞에서 볼 수 있게 되었다. 파도가 밀려오고 밀려나가는 모습을 나는 긴장된 눈빛으로 처음엔 바라보다가 코를 벌름벌름 거리며 바다 냄새를 맡고는 한발 한발 파도 쪽으로 가까이 다가갔다. 이게 바다구나. 정말 넓구나. 그런데 왜 파도는 가만있지 않고 자꾸만 왔다 갔다 하는 걸까. 파도가 싣고 온 냄새를 통해 나는 저 바닷속에 수를 헤아릴 수 없을 만큼 많은 생명체가 살고 있음을 알 수 있었다. 내가 바다로 뛰어들면 숨을 쉴 수 있을까? 수영 본능이 나에게 있었던가?

"야야 목줄 빼봐. 안 도망갈 거 같아. 도망간다 하더라도 뚜아가 바다로 뛰어들진 않을 거고 모래사장으로 도망가도 우리가 잡을 수 있을 거야."

아빠의 말은 맞는 말이었다. 바다로 뛰어들기엔 겁이 났고 모래사장으로 도망치기엔 발이 푹푹 빠져서 속도를 내기가 힘들다. 어쨌든 가슴 줄에서 풀려난 나는 처음으로 아빠가 고마워져서 자유를 주어 고맙다는 뜻으로 크게 한번 니야야옹거렸다. 그러고는 재미있는 파도놀이가 시작됐다.

파도가 오면 후다닥 뒷걸음질로 물러났다가 파도가 가면 다시 파도의 멱살을 잡을 듯이 돌진했다가를 반복하며 즐겁게 노는데 파도 하나가 너무 빨리 나에게 다가오는 바람에 내 발이 적셔지고 말았다.

나는 원래 물을 좋아하는 고양이므로 조금 뒤로 물러나 늘 하던 대로 젖은 발을 핥다가 깜짝 놀라 코를 킁킁대며 재채기를 해댔다. 이건 대체 무슨 맛인 거지? 독약이 있다면 딱 이런 맛일 것 같았다. 사실 나는 사료와 츄르, 물 외에 다른 걸 먹어본 기억이 없다. 따라서 이 맛이 무슨 맛인지 모르는 게 당연했는데 중요한 건 이 맛이 나에게 해가 될 것 같다는 느낌이 들었다는 거였다. 유심히 나를 지켜보던 아빠가 서둘러 다시 가슴 줄을 채우는 걸 보니 내가 생각한 게 맞는 것 같았다.

우리는 다 함께 백사장을 걸었고 나는 순순히 경

로를 이탈하지 않고 그들의 발걸음에 맞추어 걸었다. 쉴 새 없이 코를 벌렁거리면서, 가끔 고개를 돌려 바다를 보면서, 사람들의 감탄 어린 시선을 즐기면서. 그러다 어느 순간 나는 걸음을 멈추고 수평선을 지그시 바라보았다.

저 바다 너머엔 무엇이 있을까. 저곳을 넘어가면 고양이 별이 있진 않을까? 우리 고양이들이 수명을 다하여 무지개다리를 건너면 이르게 되는 곳. 수평선 너머는 하늘이니까 정말로 고양이 별이 있는 게 아닐까. 하지만 지금 가보고 싶진 않다. 언젠간 내가 돌아갈 곳이긴 하지만 최소한 지금은 가고 싶지 않았다. 내가 고양이 별에 간다면 나는 원래 있던 곳으로 돌아가는 것이기 때문에 거기서도 잘 지낼 수 있을 것이다. 하지만 아빠나 엄마나 딩중이나 딩초는 날 잃고 살아가는 사람들이 될 것이다. 언젠가 오게 될 그날을 피할 수는 없겠지만 언젠가 오게 될 그날이 아주 먼 미래의 날이었으면 좋겠다.

수평선에서 시선을 거두고 나는 다시 앞을 보며 백사장을 걸었다. 백사장은 너무 넓어서 내가 걸어가는 데 있어 아무런 장애물이 나타나지 않아 마치 이곳이 나의 왕국인 것만 같았다. 그렇게 나는 파도 소리를 들으며 밀림의 제왕 사자처럼 천천히 오래도록 이곳을 걸었다.

15. 잼민이들의 습격.

토요일인데 식구들이 나갈 생각을 하지 않았다. 이례적인 일이었다.

그렇다고 집에 가만있는 것은 아니었고 대청소가 시작됐다. 각자의 방을 청소하고 구석구석 꼼꼼히 청소를 하는 그들이 사실 나는 좀 마땅치 않았다. 청소를 하면서 물건들의 위치가 바뀌기도 하고 내가 묻혀놨던 냄새가 사라지기도 하며 분주하게 계속 왔다 갔다 하는 것 자체가 불편했기 때문이다.

나는 베란다에 있는 캣타워 꼭대기로 피신하여 따스한 햇살을 받으며 꾸벅꾸벅 졸았다. 그런데 왜 갑자기 대청소를 하는 걸까.

"몇 시에 온댔지?"

"2시쯤? 이제 슬슬 올 때 됐어."

아빠와 엄마가 하는 소리를 듣고서야 알았다. 오늘은 식구들이 나가는 날이 아니라, 손님이 오는 날인 거다. 그래서 대청소를 했구만? 손님이 오는 날은 피곤하다. 나를 예뻐하는 손님도 있고 나를 안 예뻐하는 손님도 있었다. 하지만 나를 안 예뻐하는 손님도 대놓고 날 미워하진 않았기 때문에(남의 집 고양이를 대놓고 미워할 손님이 있기는 한가?) 딱히 나에게 피해를 주는 건 아니었지만 활동 반경이 제한되는 건 사실이었다.

손님이 오는 시간은 주로 밤이었고 주로 술을 먹었다. 평소 맡아보지 못했던 음식 냄새를 맡아보기 위해 주위를 어슬렁거리는 나에게 아빠는 그때마다 저리 가라며 핀잔을 주었다. 털이 날려서 음식에 들어갈까 봐 오지 못하게 한다는데 그래도 좀 서운하다. 내가 너희들 음식을 뺏어 먹기라도 하냐? 냄새도 못 맡게 하고 그래 치사하게!

아빠는 손님을 집으로 초대하는 걸 즐기는 사람이었는데 나름대로의 개똥철학이 있다고 했다. 손님이 집으로 오는 건 놀러 오는 것이고 놀러 오는 사람은 즐거운 마음을 가지고 오며 즐거운 마음을 가지고 오는 사람들은 좋은 기운을 가지고 있기 때문에 그들이 가지고 온 좋은 기운이 집에 머물게 되어 이 집에 좋은 기운이 가득 차게 된다는…. 그럼 손님이 돌아가고 난 후에 뒷정리는 어쩔 건데?

어쨌든 손님이 오는 날이면 나는 구석에 쭈그리고 앉아 있거나 베란다 캣타워 꼭대기에서 잠을 자거나 딩초나 딩중이 방에서 혼자 놀았는데 손님이 가고 나면 보상(?)으로 츄르를 주었기 때문에 정성이 갸륵해서 내가 용서해 주곤 했다. 오늘도 그런 날인가 보다. 그런데 오후 2시에 온다고? 낮술을 먹겠다는 건가? 누가 오는 거지?

손님이 오면 정신 사나울 게 확실해 보여서 나는 미리 밥을 먹고 용변도 해결하고 그루밍까지 끝낸 후 침착하게 손님을 기다렸다.

딩동~

벨이 울렸다. 자~ 오늘의 호스트는 바로~ 말로만 듣던 안성팀 군단이었다!

안성팀 그들은 누구인가. 우선 안성팀은 세 집으로 구성되어 있다. 엄마의 남동생네, 남동생의 와이프의 여동생네, 남동생의 친구네. 조금 복잡해 보이지만 어쨌든 어른 6명 잼민이 5명으로 구성되어 있는데 나에겐 이 잼민이 5명이 중요하다. 어른들은 날건들지 않는다. 하지만 잼민이들은 다르다. 고양이 카페에 있을 때 수많은 잼민이들을 겪어봐서 잘 안다.

"우와 고양이다~!"

문이 열리고 잼민이들 5명이 일제히 나에게 달려들었다.

"너희들 고모랑 고모부한테 인사 안 해?"

잼민이들은 시선을 나에게 떼지 않은 채로 아빠와 엄마에게 고개만 까딱하는 걸로 인사를 대신했다. 피할 곳이 없었다. 잼민이 1을 피하면 잼민이 2가 기다리고 있었고 잼민이 2를 피하면 잼민이 3이 기다리고 있었다. 그러다 누구 하나에게 붙잡히면 동시에 달려들어 머리 가슴 배 손발을 만지작 만지작, 심지어 꼬리를 돌돌 말려고 하는 잼민이도 있었다. 내 꼬리가 돼지꼬리냐?

그리고 이들의 리더인 진격의 딩초가 등장했다.

"얘들아 내가 뚜아한테 츄르 주는 거 잘 봐."

딩초는 이곳이 본인 구역이라는 으스대듯 츄르 하나를 의기양양하게 꺼냈고 츄르를 본 나는 눈이 동그라져 칼루이스처럼 딩초에게 달려들었다.

"우와~"

그저 내가 딩초에게 달려갔을 뿐인데 잼민들이 탄성을 질렀고 딩초의 어깨는 벽돌 두어 장을 올린 것처럼 높아져 갔다. 딩초가 튜브 끝을 손으로 잘라내자 달콤한 닭고기 냄새와 비릿한 연어의 냄새가 합쳐져 입안에 침이 가득 고였다.

딩초가 내미는 츄르를 나는 정신없이 핥아먹었고 튜브에서 나오는 츄르의 양이 적은 것 같아 나는 얼른 두 손으로 츄르를 붙잡고 혀를 날름거렸다.

"우와~!"

"아 귀여워~ 손으로 꼭 잡고 먹는 거 봐!"

훗, 이게 뭐라고. 하여튼 잼민이들은 아주 사소한 것만으로도 감동을 받고 감탄해 한다. 작은 것에 감동받고 즐거움을 느끼는 이 귀여운 잼민이들은 그러나 시간이 지나 몸이 커지고 정신이 성숙해져 감에 따라 작은 것에 감동받고 즐거움을 느끼는 것에 대해 옹색해져 갈 것이 틀림없다. 그렇게 어른이 되는 거니까. 어른은 그런 거니까.(그런데 어른은 왜 그래야만 하는 거지?)

츄르가 멈췄다. 딩초가 츄르를 짜지 않고 있었다. 뭐야, 왜 이래, 아직 반 이상이 남았잖아! 츄르 가지고 지금 나랑 밀당해? 오냐오냐했더니 진짜.

"자, 누가 해볼래?"

딩초는 고급 레스토랑에서 웨이터에게 팁 주는 재벌 집 막내딸 같은 표정으로 주위를 스윽 둘러보며 말했고 잼민이들은 교주를 향해 두 팔 벌려 믿습니다!를 외치는 광신도처럼 서로 제가 하겠다고 목청을 높였다.

"야. 너 지난번에 나한테 까불었지."

딩초가 잼민이 3에게 싸늘한 표정을 지으며 말했고 잼민이 3은 당황한 기색이 역력한 표정으로 흠칫 놀라며 말을 더듬었다.

"내…내가 언제…. 내가 언제 누나한테 까불었어…."

"너 지난번에 캠핑장에서 내가 베그 한 판 하자고 했더니 안 했잖아."

"그…그건…. 그건 누나한테 까분 게 아니잖아…."

"어쨌든! 내가 하겠는데 안 했잖아!"

딩초는 고양이 쥐 잡듯이 잼민이 3을 몰아붙였고 잼민이는 금방이라도 눈물을 떨굴 듯이 고개를 숙였다. 츄르 하나 가지고 이렇게 유세를 떨다니. 이게 뭐라고.

"자, 다음부턴 누나 말 잘 들어 알았지?"

"핫! 누나 고마워!"

츄르가 잼민이 3에게 건네졌고 잼민이 3은 언제

시무룩했냐는 듯이 금방 얼굴이 확 펴지며 기쁜 표정을 감추지 않았다. 고양이 카페에서 만난 잼민이들도 그렇고 얘네들도 그렇고 웬만하면 쉽게 즐거워진다는 것이 어린이들의 특징이었다.

잼민이 3이 조심스레 내게 츄르를 내밀었다. 나는 이 아이를 한번 놀려줄 생각으로 츄르를 들고 있는 손가락을 깨물 듯이 이빨을 확 가져갔고 아이는 깜짝 놀라 츄르를 떨어트리고 말았다.

"어? 너 놓쳤다? 다음은 내 차례야!"

잼민 2가 틈을 놓치지 않고 깜빡이도 안 켜고 훅 들어왔고 억울한 잼민 3은 다시금 우울한 표정이 되었다.

"공평하게 츄르 3분에 1씩 주는 걸로 하자. 츄르 하나 더 가지고 올게."

앗싸! 이게 웬 떡인가. 1/3씩 츄르를 준다면 딩초 포함 6명이니까 츄르를 두 개나 먹게 되는 셈이다. 잼민이들의 습격이 꼭 나쁜 것만은 아니었구나. 하지만 엄마가 이 광경을 보게 된다면 곧 츄르를 뺏기고 말 것이다. 엄마는 하루에 츄르 하나씩만 주는 걸 원칙으로 하고 있었기 때문인데 츄르를 많이 먹으면 내가 설사를 하기도 하고 사료를 먹지 않는다는 것이 그 이유였다. 상당히 타당한 이유이긴 했으나 어쨌든 츄르는 맛있었고 주방에서 이모들과 요리를 하고 있는 엄마가 이 장면을 목도하기 전에

어서 츄르 두 개를 먹어 치워야 했기 때문에 나는 츄르 튜브를 꼭 붙잡고 평소보다 혀 놀림을 두 배로 빠르게 하여 6명의 어린이들로부터 츄르 두 개를 다 먹는데 성공했다.

"자! 다음은 뚜아 물 먹이기야. 다들 화장실로 따라와."

6명의 아이들이 우르르 화장실로 들어갔다. 물론 나는 딩초 품에 안긴 채였다. 딩초가 세면대 수도꼭지를 조금 열었고 물은 가늘게 아래로 떨어지기 시작했다.

"물이 이렇게 나오지? 이 물을 손바닥으로 이렇~게 대고 있으면 뚜아가 손바닥에 있는 물을 이~렇게 먹는단 말씀!"

오목하게 오므린 딩초의 손바닥에서 잠시 고였다 흘러내리는 물을 나는 날름날름 핥아먹었다. 평상시에 자주 하던 짓이었는데 나는 물그릇에 있는 물보단 이렇게 막 흘러나오는 신선한 물이 더 좋았다. 하지만 지금은 그다지 목이 마르지 않았다. 그렇다고 딩초 체면도 있는데 물 안 먹고 가만히 있기가 조금 민망해서 그냥 마셔주기로 했다. 5명의 아이들이 차례로 고사리 같은 손바닥을 세면대 수도꼭지로 내밀었고 나는 그들의 기대대로 맛있게 물먹는 연기를 해주었다.

"하앗 간지러워~"

"혀가 까끌까끌하네? 강아지 혀는 부드러운데."

"너무 귀여워~"

그래. 이 한 몸 바쳐서 미래의 새싹들이 즐거워하고 이번 기회를 통해서 고양이 혓바닥이 까끌까끌하다는 사실까지 알게 하였으니 비록 귀찮긴 했지만 나는 의미 있는 일을 한 것이다.

주방에서 엄마와 이모들의 음식 준비가 끝난 모양이었다. 거실에 잔칫상이 차려졌고 술을 먹기엔 조금 이른 감이 있었지만 어쨌든 술판이 벌어졌으며 내 밥그릇과 화장실을 베란다로 옮겨 놓은 아빠의 깊은 뜻을 간파하고 나는 눈치를 스윽 한 번 살피고는 늘 하던 대로 베란다로 나가 햇볕을 쪼였다.

하나둘씩 밥을 다 먹은 아이들이 베란다로 나왔고 딩초의 시범 아래 아이들과 낚싯줄 놀이, 쥐새끼 물어와 놀이 등을 하며 놀았는데 체력이 바닥나 쉬고 싶어도 아이들이 계속 놀자고 졸라대는 통에 이건 거의 노동이나 다름없었다.

해가 지고 어둠이 찾아온 초저녁, 나는 더 이상 피곤을 참지 못하고 딩중이의 방으로 찾아 들었다. 딩중이의 방은 잼민이들 들어올 수 없는 금지구역이다. 숙모와 이모들이 딩중이 방엔 절대 들어가지 말라고 단단히 주의를 주었고 막 사춘기가 시작된 여중생 방에 아무 생각 없이 들어갔다간 어떤 날벼락이 떨어질지 모르는 일이었다. 잼민이들 뿐만 아니라 삼촌들도 못 들어갔고 아빠도 웬만하면 들어가지 않았으며 이모들만 조심스레 들어갈 수 있었다 (엄마와 나는 프리패스였다).

따라서 딩중이 방에 있으면 안전을 보장받을 수 있었고 귀찮은 일도 벌어지지 않으며 이렇게 피곤할 일도 없는 거였다. 알고 있었다. 일찌감치 딩중이 방에 와 있어도 된다는 사실을. 그랬다면 나는 평온했을 것이고 피곤하지 않았을 것이다.

하지만 그렇게 하지 않았다. 나를 좋아하는 아이들과 보낸 시간은 나도 좋았기 때문이다.

16. 딩중이의 고양이 알레르기.

며칠 전부터 딩중이는 기분이 한껏 예민해져 있었다.

남자친구와 뭐가 잘 안되는 것도 있었고 학원 숙제는 날이 갈수록 태산이 높다 하되 하늘 아래 뫼였으며 기말고사를 코앞에 두고 귀까지 아프다는 것이 그 이유였다. 천하태평 천하여걸 진격의 최헐크 딩초와는 달리 딩중이는 예민하다. 아빠를 닮아 예민한 성격을 타고난 것도 그렇지만 질풍노도의 사춘기를 정통으로 얻어맞은 영향이 컸다.

언젠가 엄마와 딩중이가 싸우는 모습을 봤는데 딩중이는 "나 사춘기야!"라며 본인의 까칠함을 정당화하며 대들었고 엄마는 "너 사춘기야? 난 갱년기야! 어디서 유세야!"라며 물러서지 않았다. 사춘기와 갱년기의 불꽃 튀는 대결은 보는 사람, 아니 보는 고양이로 하여금 발바닥 젤리에 땀을 쥐게 만드는 명장면이었다.

딩중이의 예민함은 그렇다 치지만 귀가 아프다는 것은 생각해 볼 문제였다. 멀쩡한 귀가 왜 아프냐 말이다.

"비행기 타면 귀 먹먹해지는 그런 거 있잖아…. 그렇게 아파. 코랑 입이랑 막고 후 불면 귀가 뻥 뚫려야 되는데 그렇지도 않고. 자꾸 아파."

엄마는 당장 병원에 가자며 딩중이를 데리고 밖으로 나갔고 나는 생각에 잠겼다. 뭔가 짚이는 게 있었다. 기억을 되살려 보니 딩중이가 날 껴안고 쓰다 듬고 뽀뽀를 하고 난 후면 눈이 살짝 부어올랐고 재채기를 하곤 했었다. 설마…. 나 때문인 건가? 하지만 보통 고양이 알레르기의 증상은 눈이 붓고 눈물이 나고 재채기를 하고 심한 경우 호흡곤란이 오기는 했지만 귀가 아프다는 얘기는 듣지 못했다.

엄마가 아빠와 통화를 하며 병원에서 돌아왔고 딩중이 손에는 약봉지가 들려 있었다.

"귀가 부었고 염증이 있어서 일단 항생제 받아왔는데 원인은 의사도 모르겠대."

"귀가 갑자기 왜 부어?"

"귀가 먹먹해서 손으로 자꾸 쑤셨대."

"손으로 왜 쑤셔 귀를."

"먹먹하니까 쑤셨겠지."

"먹먹하면 쑤셔?"

"지금 그게 중요한 게 아니잖아!"

"모르고 갑각류 먹은 거 아니야?"

그렇다. 딩중이에겐 갑각류 알레르기가 있다. 회와 생선은 먹지만 게, 기타 해산물, 심지어 게맛살도 먹지 않는다. 학교에서 급식으로 해산물이 나오면 김 싸서 맨밥을 먹는 아이다(가방에 항상 비상용 김을 가지고 다닌다). 진짜로 부주의해서 갑각류를 섭취한 것일까?

"얘가 먹는 거 얼마나 조심하는 앤데."

"이상하네…. 큰 병원 가봐야 되는 거 아니야?"

"일단 항생제 먹어보고 차도가 없으면 다시 병원 가봐야지."

딩중이는 시무룩하게 식탁에 앉아 약을 먹고는 본인을 근심스럽게 바라보고 있는 나를 근심스럽게 바라보았다.

"뚜아양~"

그러고는 언제 시무룩했냐는 듯이 나에게 달려들어 손바닥 레슬링을 하고 끌어안고 뽀뽀를 하고 권투 놀이를 하며 놀았다. 그래, 약 먹었으니까 낫겠지 뭐. 딩중이는 갑각류 알레르기를 빼놓고는 매우 건강한 소녀였다. 몸은 말랐지만 잔병치레하는 법이 거의 없었고 병원 신세를 지는 일도 별로 없었다. 반면 딩초는 매우 건강해 보이고 씩씩하고 운동을 좋아했지만 잔병치레가 많아 동네 병원 단골이어서 의사가 딩초의 이름을 알고 있을 정도였다.

아빠가 연말정산을 한 후 "우리 집에서 딩초가 병원 제일 많이 다녔네."라고 말하는 것을 들은 적이 있었는데 어쨌든 그만큼 딩중이는 건강했다.

이 현상을 두고 아빠는 애들이 어렸을 때 딩중이는 세 살 때까지 모유를 먹었고 딩초는 분유를 먹고 커서 그런 거라고 진단했는데 아무리 한의학에 정통한 아빠지만(한의사는 아님) 모유와 잔병치레의 역학관계에 대한 아빠의 진단이 정말로 맞는 건지는 확실치 않았다.

나는 딩중이가 약 먹고 귀 아픈 게 싹 없어졌으면 좋겠다고 밤마다 고양이 신께 빌었다. 하지만 고양이 신은 나의 기도를 들어주지 않았다. 딩중이의 귀 통증은 항생제를 먹어도 낫지 않았고 그의 예민함은 절정을 향해 치달았으며 온 가족의 근심도 커져만 갔다.

그러던 어느 날 밤에 나는 딩중이 방으로 들어갔고 침대에 누워있는 딩중이를 바라보았다. 딩중이의 침대는 2층 침대의 2층이었기 때문에 점프하기가 힘들어 웬만하면 올라가지 않는데 그날은 그러고 싶었다. 딩중이가 아직 자지 않고 있어서 나는 괜찮냐고 말을 건넸고 딩중이는 그런 나를 꼭 끌어안았다.

"누나 괜찮아 뚜아야. 너랑 오래오래 같이 살고 싶어…."

딩중이의 눈에서 눈물이 한 방울 떨어졌고 나는 왠지 모를 불안감에 휩싸였다. 오래오래 같이 살고 싶다니…갑자기 그게 무슨 말이야.

다음날 엄마는 딩중이를 데리고 다른 병원에 다녀왔고 퇴근한 아빠에게 원인을 찾았다고 말했다.

"6개월 전부터 눈이 붓고 재채기가 났었대. 그런데 얘가 말도 안 하고 그냥 참으니까 그게 심해져서 목이 붓고 귀까지 간 거래. 눈 코 입 귀는 연결되어 있으니까."

"6개월 전부터? 눈이 왜 붓고 재채기는 왜 나?"

"왜겠어…."

"설마…뚜아?"

"콧물 엄청 흘리고 재채기도 엄청 했었는데 그걸 숨겨왔던 거야. 아까 의사한테 눈이랑 목 붓고 재채기 엄청 하고 콧물도 많이 났었다고 하니까 혹시 집에서 개 키우냐고. 고양이 키운다고 하니까 대번에 고양이 알레르기 검사하자고 해서…."

"했어?"

"했지."

"결과는?"

"알레르기가 단계별로 수치가 있는데 얘는 고양이 알레르기 반응 최고수치 나왔어."

"최고수치?"

"응."

"맙소사…."

맙소사다. 고양이를 키우는 사람이 고양이 알레르기가 있으면 이거 어떻게 되는 건가. 가만, 그럼 난 어떻게 되는 거지? 뭐야 이거. 어떻게 되는 거야 이거.

고개를 숙이고 아무 말도 하지 않고 있는 딩중이에게 아빠가 다정하게 물었다.

"6개월 전부터 아팠는데 왜 말을 안 했어? 아프면

바로 말을 해야지 큰일 날뻔했잖아."

딩중이는 묵묵부답이었다. 분위기가 심상치 않음을 직감한 딩초도 평상시 같았으면 언니한테 깐족대고도 남았을 테지만 오늘은 그러지 않았다. 한참 동안 입을 닫고 있던 딩중이가 말을 꺼냈다.

"처음에 눈 붓고 콧물 나고 목 부었을 때 내가 검색해 봤어. 고양이 알레르기 증상이 그렇대. 내가 고양이 알레르기 있다고 하면 아빠랑 엄마가 뚜아다른 데로 보낼까 봐…. 말을 할 수가 없었어…. 미안해…."

말을 마친 딩중이는 고개를 떨구었고 나도 고개를 떨구었다. 나는 지난번 딩초의 얼굴을 긁었었다. 그리고 지금 딩중이의 목을 붓게 하고 귀를 아프게 하고 있다. 아빠의 맥주잔에 털을 동동 띄웠고 엄마의 옷에 잔뜩 털을 묻히고 있다. 엄마의 청소시간은 나 때문에 두 배가 늘었다.

이들에게 나는 무엇인가. 나의 존재가치는 무엇인가.

사랑한다와 좋아한다의 차이를 아는가.

좋아한다는 어떤 대상 때문에 내가 좋은 것이다. 나는 츄르를 좋아한다. 츄르가 있어서 "내가" 좋은 것이다. 반면 사랑한다는 나 때문에 상대방이 좋아야 하는 것이다. 나는 츄르를 사랑한다. 내가 있어서 "츄르"가 좋아야 하는 것이다. 말이 안 된다. 따라서 나는 츄르를 좋아하지만 츄르를 사랑하진 않는다.

나는 이 집 가족을 사랑한다.

내가 있음으로 해서, 나 때문에 이들이 웃고 행복하고 즐거워야 한다. 과연 지금, 나는 그들을 사랑한다고 말할 수 있을까.

"의사가 하는 말이…고양이 당장 없애야 한대…. 고양이랑 같이 못 산대. 이건 면역이 안 되는 거고 고양이랑 계속 같이 살면 계속 이런 증상이 나타날 수밖에 없대…."

"흐음…."

엄마의 말에 아빠가 짧게 신음했다. 딩초는 절대 안 된다고 말하고 싶지만 언니가 아프다는데 생각이 미쳤는지 이러지도 저러지도 못하고 있었고 딩중이는 약봉지를 움켜쥐었으며 아빠는 나를 바라보며 얘를 어떻게 처리하나, 하는 표정을 지었다.

마음이 아프고 가슴이 아려왔다. 나의 언어를 인간이 알아들을 수 있다면 딩중이에게 이렇게 말하고 싶었다.

"사랑하는 딩중아. 헤어짐은 아픈 거지만, 나 때문에 네가 아프다는 사실이 나에겐 훨씬 더 큰 아픔이야. 알아, 네가 날 얼마나 좋아하는지. 나 역시도 널 좋아하고 널 사랑해. 사랑하기에 헤어진다는 어느 가수의 노랫말이 말도 안 되는 거라고 생각했는데…이제 이해할 수 있을 것 같아. 우리가 헤어지는 건 너의 잘못이 아니야. 물론 나의 잘못도 아니지. 그 누구의 잘못도 아니지만 그 누구의 잘못이 아니어도 헤어질 수 있는 게 우리네 인생이 아닐까? 고양이의 수명은 인간보다 짧으니까 언젠가, 그 언젠가 나는 너를 떠나게 되는 거였어. 그 시간이 조금 당겨진 거라고 그렇게 생각하자. 고마웠어…. 아주 많이."

나는 울었다. 구슬프게 울었다. 인간이 듣기에는 기괴한 소음일 수 있지만 난 울었다. 지금 내가 할 수 있는 거라곤 이렇게나마 우는 것 외에는 없었다. 그 모습을 지그시 바라보던 아빠가 무겁게 입을 뗐다.

"어쩔 수 없지…아빠도 많이 아쉽고 슬프지만…. 뚜아…우리 뚜아…우리가 사랑하는 뚜아…."

아빠는 감정을 억제하기가 힘들었는지 잠시 숨을 고른 후 말을 이었다.

"뚜아…털을 좀 더 짧게 밀자…."

으응?

"뚜아 털 최대한으로 짧게 밀고 너는 이제부터 뚜아 만지지 말고 알레르기 약 꾸준히 먹도록 해."

그 후로 딩중이는 꾸준히 알레르기 약을 복용하였고 일주일 뒤 귀 통증은 사라졌으며 나는 주기적으로 털을 밀리는 신세가 되었다. 엄마는 고양이 털

전용 바리깡을 구입하여 이제는 전문가 수준의 고양이 미용사가 되었고 딩중이는 날 안고 만지고 뽀뽀하고 실컷 주물럭거린 뒤 태연하게 "약 어딨지?" 하고 말하는 경지에 이르게 됐다.

문제가 생기면 방법을 찾으면 그만,이라는 아빠의 말이 오래도록 가슴에 남았다.

17. 무엇을 위한 결투였나.

낯선 아저씨가 현관문을 열고 들어왔다.

집에는 엄마뿐이었고 낯선 아저씨의 손엔 두툼한 상자가 들려 있었다. 택배인가? 택배라면 문 앞에 두고 가는 것이 국룰인데 집 안까지 들어온다고? 어쨌든 저 상자가 비워지면 안으로 쏙 들어가 봐야겠다.

아저씨는 상자에서 하얗고 동그란 물건 하나와 네모기둥 같은 걸 꺼냈는데 그 모습을 보는 엄마의 표정이 밝았다.

"어디다 설치해 드릴까요? 가능하면 얘가 드나들기 편한 구석진 곳이 좋습니다. 제가 보기엔 여기 에어컨 옆에 설치하면 어떨까 하는데요."

"네 거기가 좋겠어요."

아저씨는 텔레비전과 에어컨 사이 공간에 네모기둥을 설치했고 동그랗고 하얀 물건을 네모기둥 밑에 끼웠다. 처음 보는 이상한 물건이었다. 전원을 연결하자 동글이의 눈이 번쩍! 하며 갑자기 켜져서 나는 깜짝 놀랐다.

"충전을 시작합니다."

헛! 말을 한다! 뭐야 저건. 움직이기도 하는 건가? 대체 넌 정체가 뭐냐! 이 구역의 주인은 난데 한판 승부를 겨뤄야 할 때가 온 건가? 남자 음성이니까 남잔데 사람의 모습이 아닌 사람의 음성이라⋯. 도무지 정체를 가늠할 수가 없었다.

"스마트폰에 앱을 까시구요 일단 연동이 된 후에 이 집의 지형을 입력하기 위해서 얘가 알아서 집 구석구석을 돌아다닐 거예요."

집 구석구석을 돌아다닌다고? 이 집의 지형을 알아내기 위해서? 여긴 내 구역인데? 보통 큰 문제가 아니었다. 내가 발톱을 긁고 스트레칭을 하는 기둥 스크레처도 얘가 알아낼 것이고 식탁 밑 소파 스크레처도 알아낼 것이고 딩중이 딩초 방 구석에 있는 나의 보금자리도 알아낼 것이다.

수차례 밝혔듯이 고양이는 영역의 동물이고 나는 그 영역을 침범 당하는 걸 극도로 싫어한다. 감히 누가 내 영역에 발을 디디려 하는가. 전쟁이구나. 이건 전쟁이다!

"스마트폰으로 작동시켜도 되고 여기 이 홈버튼을 눌러도 작동이 됩니다."

아저씨가 동글이의 깜빡이는 눈 위에 있는 버튼을 누르자 동글이가 반응했다.

"청소를 시작합니다."

청소를 시작한다고? 청소를 왜 네가 시작해? 청소는 진공청소기로 엄마가 하는 건데 네가 뭔데 청소를 한다는 거냐. 알았다. 청소는 그저 명분일 뿐이다. 청소를 한다는 핑계를 대고 이 집을 접수하려는 개수작이 나한테 통할 리가 없었다.

고양이 카페에 있을 때 알바생이 대형 청소기로

청소하는 장면을 본 적이 있다. 그리고 이 집에선 엄마가 무선 청소기로 청소를 한다. 어쨌든 청소는 사람이 하는 것이다. 내가 그 정도의 상식도 모를 거라고 날 얕잡아 본 모양이지만 어림없다. 동글이가 움직이기 시작했고 나는 발톱을 세우며 결투를 준비했다. 얼마 만에 싸움인가.

고양이 카페에 처음 왔을 때 서열 정리를 위해 첫 결투를 했었다. 당시 나는 아기 고양이였지만 깡 하나는 끝내줬다. 첫 대결을 앞두고 있을 때 당시 서열 1위였던 리베카 여왕님께서 하신 말씀이 아직까지 또렷하다.

"아가. 싸움은 힘으로 하는 게 아니라 깡으로 하는 거란다. 반드시 이기겠다는 그 마음, 내가 가지고 있는 모든 걸 잃을 수도 있다는 절박함, 그 마음으로 싸우면 백전백승이란다. 그리고 절대 포기해선 안돼. 슬램덩크 정대만도 중학교 3학년 때 전국 대회에서 끝까지 포기하지 않는 불굴의 의지로 우승을 차지했다는 걸 잊어선 안될 것이야."

아…안 선생님…아니 리베카 여왕님…. 저는…저는…결투가 하고 싶어요. 나는 여왕님의 말씀을 붉은 심장에 새기고 전투에 임했고 백전백승까지는 아니지만 12전 9승 3패의 승률을 기록하며 고양이 서열 차트 진입과 동시에 4위에 오르는 기염을 토했었다. 그로부터 1년 후 비록 중성화 수술을 받고 잠시 앓아눕긴 했었으나 체력을 기르고 싸움의 기술을 꾸준히 연마한 결과 리베카 여왕님이 좋은 집에 입양되어 그곳을 떠날 때 내가 서열 1위에 오를 수 있었다. 리베카 여왕님은 나에게 왕좌를 물려주며 이렇게 말했다.

"넌 내가 본 고양이들 중에 가장 타고난 싸움꾼이야. 눈빛이 좋고 투지도 강해. 이 고양이 카페를 너의 왕국으로 만들도록 하렴. 나는 떠나지만 너에게 왕좌를 물려줄 수 있어서 다행이야."

그녀는 나에게 용기와 희망을 주고는 양준일의 리베카 춤을 추며 떠나갔고 그 뒤로 나는 결투를 하지 않았다. 왜냐하면 나에게 도전하는 고양이가 없었기 때문이다. 이 집에 오면서부터는 발톱마저 깎이는 신세가 됐고 실수로 딩초 얼굴을 긁었다가 할머니한테 염병할 놈의 고양이 소리까지 들으며 그렇게 나의 전투력은 생명력을 잃어가고 있는 중이었다.

그런데 오늘! 강력한 적이 나의 영역에 등장한 것이다. 싸워야 한다면 이겨야 한다. Win or nothing. 승리 외엔 아무것도 아닌 처절한 결투를 지금 나는 앞두고 있다.

우선 나는 멀찌감치 떨어져 동글이의 행동을 분석했다. 녀석의 속도는 빠르지 않았다. 그리고 속도를 조절하지 못하고 일정한 속도로만 움직였으며 가끔 대각선으로 방향을 틀긴 했지만 주로 직선으로 움직였다. 나의 앞발과 같은 발은 없지만 빠르게 회전하는 발톱을 가진 녀석이었다. 밝게 점멸하는 눈을 깜빡이며 상대방을 위협하는 굉음까지 탑재하였고 겉은 딱딱해 보였다.

하지만 보이는 게 다가 아니다. 일단 나는 녀석의 뒤쪽으로 몰래 따라가서 앞발로 잽싸게 툭 한번 건들고는 민첩하게 뒤로 물러났다. 역시 딱딱했다. 강한 놈이다. 어지간한 파워가 아니고는 저 딱딱한 껍데기에 생채기를 내기가 쉽지 않아 보였다. 게다가 내 발톱은 수시로 깎였기 때문에 그다지 위협적이지도 않았다.

필승전략을 짜기가 어려웠다. 하지만 이겨야 하고 이길 수 있고 이기면 된다. 발톱은 무뎌졌지만 이빨은 쌩쌩했다. 녀석은 뒤를 잘 돌아보지 않는 특성이 있었다. 직진으로 쭉 가다가 앞에 장애물을 만나면 딱 섰다가 휙 돌아섰다. 녀석이 휙 돌아서기 전에 뒤에서 달려들어 물어뜯는다면 나에게 승산이 있지 않을까?

그러나 뒤에서 덤빈다는 게 좀 내키지 않았다. 아무리 승리가 급하다곤 하지만 마주 보고 눈을 보며 싸우는 게 나의 스타일이었다. 빠르게 회전하는 놈의 발톱을 다시 바라보았다. 엄청난 회전이었다. 근처 먼지를 빨아들이는 게 눈에 보였다. 어쩌면 저놈의 발톱과 가공할 만한 흡입력에 내 다리가 빨려 들어가는 건 아닐까. 공포심이 밀려들었다.

싸움에 있어 가장 큰 적은 공포심이다. 지면 어쩌나 하는 공포심 말이다. 두려움을 느끼는 순간 싸움은 이미 끝난 것이나 다름없다. 나는 녀석의 앞에 서서 이빨을 드러내고 하악질을 했다. 녀석이 나보다 더 두려워해야 한다. 하지만 놈은 전혀 두려운 기색 없이 천연덕스럽게 눈을 깜빡이며 나에게 거침없이 다가왔고 나는 다시 화들짝 놀라 뒤로 물러났다.

하아…. 이를 어쩐다. 놈은 납작하니까 점프를 해서 올라탈까? 올라탄 다음은? 밟아? 고양이 싸움의 기술 중에 위에 올라가 물어뜯기는 있어도 밟기는 없었던 거 같은데. 녀석은 내가 선뜻 공격을 하지 못하고 멀찌감치 물러서 있는 틈을 타서 온 거실을 활보하였고 안방과 딩중이 방, 딩초 방까지 탐색을 마친 후 주방 쪽으로 가고 있었다. 주방 식탁 밑엔 내가 애지중지하는 소파 스크래처가 있었는데 내가 공격 루트를 고민하는 사이 이 자식이 어느새 나의 스크래처를 회전 발톱으로 긁어대고 있었다. 안 되겠다. 이건 도저히 참을 수 없다.

나의 깡은 다 어디로 갔는가. 이따위 납작이한테 이런 수모를 당할 만큼 내가 그렇게 나약한 고양이인가? 나의 영역에 무단으로 침입한 이 에일리언

이, 내가 빤히 보는데도 아랑곳하지 않고 마음껏 이곳을 활보하게끔 비겁하게 그냥 바라만 본다고?

"아가. 싸움은 힘으로 하는 게 아니라 깡으로 하는 거란다. 반드시 이기겠다는 그 마음, 내가 가지고 있는 모든 걸 잃을 수도 있다는 절박함, 그 마음으로 싸워야 한단다."

어디선가 리베카 여왕님의 음성이 들리는 듯했다. 그래, 난 아기 고양이였을 때도, 낯선 고양이 카페에 홀로 떨어졌을 때도 깡으로 버텨낸 고양이다. 이 구역의 미친 고양이는 네가 아니라 나라고!

"충전을 위해 충전기로 돌아갑니다."

갑자기 멈춰 선 녀석이 충전기로 돌아가겠다고 선언한 후 급하게 방향을 틀었다. 그러고는 아까와는 다르게 직선이 아닌 대각선으로 거실을 가로질러 곧바로 네모기둥으로 돌진해왔다. 안 된다. 이대로 녀석을 놓치면 안 된다. 나는 크게 심호흡을 하고는 돌진하는 녀석의 앞에 네 다리를 단단히 땅에 고정하고 딱 버티고 서서 눈을 부릅떴다. 정면 승부다. 피할 곳도 없고 피하지도 않을 것이다. 녀석은 거침없이 나를 향해 달려들었으나 나 앙뚜아! 오늘 너랑 결판을 내리라! 리베카님! 제게 힘을 주세요!

어?

녀석이 내 바로 코앞에서 멈춰 섰다. 그러고는 90도 각도로 방향을 틀더니 내 옆을 지나쳐 그대로 가버렸다. 가만히 서 있는 나를 ㄹ 자로 돌아 네모 기둥으로 간 것이다. 뭐야 이 자식 지금 나 피한 거 맞지?

"먼지통을 비웁니다."

응? 먼지통이 뭐야. 뭘 비운다는 거야. 내가 녀석에게 조심스럽게 다가갔을 때 갑자기 슈웅! 하면서 진공청소기 소리가 나서 깜짝 놀랐다. 아씨 오늘 많이 놀라네.

"충전을 시작합니다."

요놈 봐라? 힘이 없다 이거네? 제대로 나랑 결투도 하지 않았는데 집 구석구석을 돌아다닌 것만으로도 체력이 방전됐다 이거 아녀. 쳇! 애초에 내 상대도 아닌 놈이었구만. 그리고 내가 앞을 막아섰을 때 녀석은 원래의 루트를 버리고 날 피해서 빙 돌아서 집으로 갔다. 나에게 쫄아서 피한 것이다.

가장 훌륭한 싸움은 싸우지 않고 이기는 것인데 그런 면에서 완벽한 나의 승리였다. 역시 나는 타고난 싸움꾼, 최고의 깡을 가진 최강 고양이다!

그때 아빠가 퇴근하고 집에 왔고 아빠를 본 엄마가 말했다.

"아까 진짜 웃겼어. 뚜아가 로봇청소기랑 막 지혼자 싸우는데 어찌나 웃기던지."

아빠는 썩소를 지으며 나를 힐끗 보고는,

"멍청이."

하며 안방으로 들어가 버렸다.

로봇청소기라고? 진공청소기 무선청소기 대형청소기 핸드청소기까지는 아는데, 로봇청소기는 뭐지? 나는 거실 테이블로 뛰어 올라가 아까 그 낯선 아저씨가 놓고 간 사용설명서를 읽어 내려갔다. 아…. 그것은 그저 청소기였다. 배터리가 없으면 움직일 수조차 없는 그냥 플라스틱 재질의 기계에 불과했던 것이다. 아빠가 다시 나오며 말했다.

"바보 같은 놈 이젠 하다 하다 기계랑 싸우고 앉았냐. 에혀."

치욕이다. 심각하게 부끄럼을 느낀 나는 그날 이후 로봇청소기가 작동할 때 그 위에 올라타고 드라이브를 즐겼고 빠르게 회전하는 녀석의 브러시를 앞발로 툭툭 건들며 놀았으며 가끔 녀석이 열린 화장실 문에 걸려 허우적대고 있을 때 엄마 몰래 뒷발차기로 녀석을 툭 밀어 화장실로 떨어뜨리곤 했다. 복수다 짜샤! 헤헷!

18. 내 똥을 치울 자는 누구인가.
(Feat. 자매전쟁)

사건의 발단은 난데없는 "뚜아 소유권" 분쟁으로 촉발됐다.

서로 내 고양이야, 아냐 내 고양이야, 이러고 싸우는 것이다. 대체 그게 무슨 의미가 있는 걸까. 어차피 내가 먹는 사료와 화장실 모래 등 구입비는 아빠 월급에서 나오는 것이고 이 집은 우리 모두가 함께 사는 공간이며 나는 누구의 소유가 될 수 없는 독립된 하나의 개체인데 말이다.

"아니 왜 뚜아를 네 방에 가둬놓고 너 혼자만 노냐고."

"그럼 언니가 먼저 데리고 가던가."

"그냥 냅두라고. 뚜아가 그냥 지 하고 싶은 대로 돌아다니게."

"뚜아 내 꺼거든?"

"뚜아가 왜 니 꺼야!"

"내 꺼니까 내 꺼지!"

"뚜아가 니 꺼면 똥도 니가 다 치워!"

"싫어! 똥은 언니가 치워!"

"이런 싸가지!"

"엄마~ 언니가 나한테 욕해!"

"싸가지가 욕이냐? 넌 욕이 뭔지도 모르냐? 잼민이라서 그런 것도 모르지?"

"지도 잼민이었으면서!"

"지? 너 방금 언니한테 지라고 했냐?"

"어!"

"이게 어디서 언니 무서운 줄 모르고!"

다음 단계는 안 봐도 알 수 있다. 딩중이는 딩초를 때릴 것이고 딩초는 대성통곡을 할 것이고 엄마는 둘 다 혼낼 것이고 딩중이는 같은 급으로 혼난 것에 대해 억울해 하며 자기 방으로 들어갈 것이고 딩초는 계속 울다가 엄마한테 한 대 더 맞을 것이다.

둘이 똑같이 생긴 애들이 서로 마주 보며 싸우면 거울보고 싸우는 기분이 들어서 뻘쭘하지 않나? 어쨌든 자매가 한 번 싸우기 시작하면 중재하는 엄마의 목소리까지 커졌기 때문에 딩초의 대성통곡과 더불어 아주 시끄러워지곤 했는데 이 와중에 아빠만 웃었다. 자매가 싸우는 모습을 무슨 코미디빅리그 보듯 했다. 하지만 오늘의 주제는 자못 심각했는지 평소 관전만 하던 아빠가 직접 개입에 나섰다.

"뚜아가 니 꺼라고?"

"응! 뚜아가 날 제일 좋아하니까 내 꺼야."

"그게 무슨 논리인지는 잘 모르겠지만 암튼 좋아. 뚜아가 니 꺼니까 이제부터 뚜아 사료랑 뚜아 모래랑 다 네 용돈으로 사고, 뚜아 똥 치우고 뚜아랑 놀아주고 뚜아 목욕 시키는 것도 다 니가 해야 된다?"

딩초가 생각에 잠긴다. 아…딩초야 어쩌자고 이런

일을 벌인 거니.

"좋아. 뚜아 똥도 내가 치우고 뚜아가 먹는 것도 다 내 용돈으로 살게."

"진심이냐?"

"진심이야. 대신 용돈 올려줘. 지금 일주일에 5천 원인데 5만 원 줘."

"천잰데?"

마라톤협상 끝에 결국 똥만 딩초가 전담해서 치우는 것으로 소유권 분쟁이 마무리되었다. 앞으로 딩초의 허락 없이 날 만지는 게 전면 금지되었으나 어찌된 일인지 가족들 모두 전혀 아쉬워하지 않았다. 그도 그럴 것이 평상시대로 나랑 놀다가 딩초가 소유권을 주장하면 엇, 쏘리~ 하면 그만이었기 때문이다. 오히려 상황이 안 좋아지는 건 딩초였다.

"야야! 뚜아 똥 싼다! 야! 똥 치워 똥! 똥!"

가족들은 하루 종일 내가 똥 싸는 순간만을 기다려온 사람들처럼 내가 화장실만 갔다 하면 딩초를 부르느라 난리였다. 그럴 때면 딩초는 공부를 하다가도, 핸드폰 게임을 하다가도, 친구와 통화를 하다가도 즉시 달려와야 했다. 형체도, 실효성도 없는 소유권을 뺏기지 않기 위해서 말이다.

딩초에겐 미안한 일이지만 나는 똥을 싼 후에 모래를 덮지 않는다. 다른 고양이들이 자신의 배설물을 모래로 덮는 이유는 자신의 흔적을 남기지 않음으로써 적에게 위치를 노출시키지 않으려는 목적인데 이곳은 나의 영역이므로 내 위치를 노출시키지 않으려는 노력을 할 필요가 없었다.

모래를 덮지 않은 갓 배설된 똥에게서 당연히 좋은 냄새가 날 리가 없었다. 딩초는 오만상을 찡그리고 코를 틀어막고는 성의 없게 모래 무침을 하여 주걱으로 떠서 화장실로 가곤 했는데 빨리 처리할 욕심에 서두르다 화장실로 가는 도중 똥 조각을 떨어뜨리는 일이 많았다.

온 가족이 그 모습을 지켜보다가(어쩔 땐 제발 떨어뜨려라, 제발 떨어뜨려라 하고 합심하여 주문을 외우는 것 같기도 했다) 기대했던 대로 아주 작은 거라도 바닥에 흘리면 일제히 환호성을 지르며 빨리 치우라고, 저기 흘렸다고, 냄새난다고, 서두르라고 야단법석이 났고 딩초는 멘탈이 붕괴돼서 잘 들고 있던 똥까지 줄줄 흘렸다.

거실 바닥에 흘린 것들은 꼼짝없이 물티슈로 제거해야만 했는데 딩초 입장에서는 여간 곤욕이 아니었을 것이다. 직접 손으로 집어서 처리해야 할 뿐만 아니라 물티슈는 성분이 플라스틱이라서 똥은 변기에 버리고 물티슈는 따로 밀폐하여 휴지통에 버려야 했기 때문이다.

날이 갈수록 딩초는 지쳐갔다. 하지만 딩초가 불쌍하고 안쓰럽다고 해서 내가 싸야 할 똥을 참을 수는 없는 노릇이었다. 그저 안타까운 마음에 조금 더 딩초와 놀아주고 조금 더 딩초 곁에 있어주는 것밖에는 딱히 내가 할 수 있는 일이 없었다.

그렇게 시간이 지나면서 점점 힘에 부친 딩초는 급기야 태업을 하기 시작했다.

"야야야! 똥똥똥! 뚜아 똥!"

딩중이가 급박한 상황을 알려도 딩초는 벌렁 드러누워 심드렁하게 이렇게 말할 뿐이었다.

"오줌일 거야. 아까 똥 쌌어."

"오줌은 안 치우냐?"

"오줌은 천천히 치워도 돼."

"야야! 근데 똥이야 똥! 진짜 똥 맞아!"

"나중에 치우면 돼."

"나중에 치우다니? 냄새는 어쩔 건데?"

"아니 그럼 똥을 싸는데 냄새가 나는 게 당연하지. 언니는 똥 쌀 때 냄새 안 나?"

"난 싸고 바로 물 내리잖…. 아니 근데 얘기가 왜 그렇게 가냐? 똥 싸면 바로 치워야 되는 거 아냐?"

"난 내가 치우겠다고 했지 즉시 치우겠다고는 하지 않았어."

"하아…."

딩초는 에라 모르겠다는 식으로 화장실이 가득 차고 나서야 마지못해 치웠다. 사태가 이렇게 되니 곤란한 건 나였다. 볼일 볼 때 자세를 잡기가 상당히 힘들었던 것이다. 확 그냥 화장실 말고 소파 이런데 싸버릴까 보다!

"네 고양이 때문에 집안이 온통 똥 냄새 천지야. 최소한 같이 사는 사람들한테 피해를 주면 안 되잖아?"

냄새에 민감한 아빠가 웃음기를 거두고 궁서체로 말하자 딩초도 풀이 죽었다.

"아니…. 뚜아가 똥을 너무 많이 싸잖아."

"키울 자신 없으면 포기하든지 포기하지 않을 거면 확실히 하든지. 왜 이렇게 책임감이 없어?"

"생각해 보니까 어차피 언니도 나 없을 때 뚜아 만지고 같이 놀고 하잖아. 그러니까 언니도 같이 치우라고 해."

"그럼 소유권은 포기해."

"알았어."

딩초의 예상된 패배였다. 있지도 않은 소유권 가지고 며칠간 똥 혼자 치우느라 고생했다 딩초.

그리하여 자매는 하루씩 번갈아 가며 똥을 치우는 걸로 원만하게 합의하였다. 오늘은 딩중이가 치우고 내일은 딩초가 치우고 하는 식이었다. 이러면 공평하고 더 이상 분쟁이 일어나지 않을 것 같았으나….

금요일 밤이었다. 이들은 불금에 일찍 잠들지 않는다. 바로 그 지점에서 문제가 발생했다. 그날은 딩중이 차례였고 온 가족이 거실에서 야식을 먹고 있었으며 내가 화장실에 가는 모습을 온 가족이 지켜봤다.

"언니 똥 안 치워? 오늘 언니 차례잖아."

"알아…."

웬일인지 딩중이의 표정이 어두웠다. 그리고 뭔가에 쫓기는 듯 불안해 보였다. 그런가 보다 했다, 우리 모두. 하지만 딩중이에겐 치명적인 계획이 있었으니….

"후우…. 됐다. 야, 똥 치워."

"뭔 소리야! 오늘 언니 차례잖아!"

"시계를 봐. 12시 넘었잖아."

아…. 텔레비전 위에 걸려 있는 벽시계의 시곗바늘이 12시를 살짝 넘어가고 있었다. 딩초의 표정에 당황한 기색이 스쳐갔다. 하지만 딩초는 가까스로 정신을 수습하고는 이렇게 말했다.

"저 시계 5분 빨라. 핸드폰 시계 봐봐. 지금 11시 58분이야. 빨리 치워."

"엇…그래? 알았어."

한쪽 입꼬리를 올린 딩중이가 천천히 나의 화장실로 다가갔다. 천천히, 아주 천천히. 그러고는 화장실 앞에서 갑자기 슬로 모션으로 주걱을 들었다 놨다, 화장실 모래가 몇 개인지 세려는 듯 깔짝깔짝. 다급해진 딩초가 소리를 질렀다.

"빨리 치우라고!"

"알았다고~ 아 근데 네가 소리 질러서 갑자기 귀가 아프잖아~"

딩중이는 주걱을 놓고는 한쪽 손으로 귓구멍을 만지작 만지작거리며 힐끔힐끔 핸드폰을 쳐다봤고 딩초는 한 옥타브를 올려 다시 소리를 질렀다.

"아 뭐 하냐고! 빨리 치우라고!"

"아아! 귀 아파! 귀! 귀! 왜 이렇게 시끄럽게 말하니 귀 아프게~"

"아 쫌!"

"응? 뭐 하라고?"

"아 빨리 똥 치우라고!"

"내가 왜~ 시계를 다시 봐~ 응~ 12시 넘었네?"

그날의 똥은 얌체 짓 한다고 엄마한테 뒤지게 혼난 딩중이가 치웠지만 그걸로 끝이 아니었다.

금요일 아빠 퇴근하고 캠핑을 떠났다가 돌아온 일요일이었다. 내 화장실엔 이틀 치 똥이 쌓여 있었고 장비를 옮기던 아빠가 말했다.

"야 오늘 누구 차례야! 짐은 아빠가 나를 테니까 뚜아 똥부터 치워 어서!"

하지만 아빠가 짐을 다 옮길 때까지 내 똥은 그 누구도 치우지 않았고 집으로 들어온 아빠의 표정이 난감했다.

"뭐 하냐 니네?"

"오늘 언니 차렌데 안 치우잖아!"

"왜 내 차례야! 니 차례지!"

"금요일 날 내가 치웠다고!"

"그래, 금요일날 니가 치웠으니까 어제가 내 차례였고 오늘은 니 차례구만."

"아 뭔 소리야! 어제는 그냥 쉬는 날이었지."

"뭔 소리냐니, 금요일 니 차례 토요일 내 차례 일요일 니 차례 오늘 일요일, 그럼 니가 치워야지."

"한 번씩 치우기로 했잖아! 어제는 안 치웠고!"

"잠깐, 그런데 금요일날 니가 치웠다고? 내가 치웠는데? 아빠 퇴근하기 전에 내가 치웠는데?"

이럴 때 딩초는 무조건 빡빡 우겼어야 했다, 본인이 치웠었다고. 하지만 이틀을 놀다 온 이들 자매는 이틀 전의 일을 기억해 내지 못했고 이는 분쟁의 빌미가 됐다. 이날은 특별히 엄마가 치우는 걸로 사건을 종결했으나 이와 같은 사태가 또다시 벌어질 가능성이 높았기에 다른 대안이 필요했다. 이들이 찾은 대안은 홀짝제였다. 홀수 날은 누구, 짝수 날은 누구. 물론 홀짝제도 하루를 놀면 누군가가 두 번 연속으로 치우게 되지만 그건 그냥 운명으로 받아들이기로 합의를 봤다.

"언니가 짝수 날 해. 내가 홀수 날 할게."

"와 머리 쓰는 거 보소? 오늘은 엄마가 치웠고 내일은 짝수 날이니까 지가 홀수 날 한다고 하는 거

봐."

딩초가 멋쩍게 웃었고 딩중이는 뭔가를 골똘히 생각하다가 기쁜 표정을 지었다.

"좋아! 이번에 언니가 통 크게 양보한다. 내가 짝수 날 할게. 너 3일 연속으로 똥 안 치우네?"

"언니 사랑해~"

간만에 화기애애한 분위기가 조성되었다. 평소답지 않은 언니의 통 큰 양보와 3일 연속 똥을 안 치우게 됐다는 사실에 한껏 고무된 딩초는 기쁨을 감추지 못했고 딩중이는 애써 웃음을 참느라 큭큭댔다.

평화로운 며칠이 흘러가고 31일이 되었다. 그리고 그다음 날은 당연하지만 1일이었다. 이틀 연속 홀수일이 겹친다는 사실을 깨달은 딩초는 계약의 부당함을 호소하며 홀짝제의 전면 폐지를 주장했지만 홀수 일을 먼저 선택한 건 딩초였고 서로 충분한 합의를 통해 이루어진 결정이었으므로 어느 한쪽의 일방적인 폐기는 있을 수 없다며 딩중이도 팽팽하게 맞섰다.

31일로 끝나는 달의 그다음 달부터는 서로 홀짝을 바꾸라는 아빠의 중재에도 자매의 분쟁은 현재진행형이니 자! 과연 내 똥을 치울 자는 누구란 말인가!

19. 천안 친구 만두.

평화로운 저녁이었다.

배불리 저녁을 먹고 딩중이 품에 안겨 골골송을 부르며 한가로운 시간을 보내고 있을 때 현관 비번 누르는 소리가 들렸다. 상갓집에 갔던 아빠가 왔나 보다 하고는 쳐다도 보지 않았는데 문이 열리자 낯선 냄새가 훅 끼쳤다. 급히 고개를 꺾어 낯선 냄새의 정체를 알아낸 나는 롤러코스터에서 뚝 떨어지는 듯한 아찔한 현기증을 느꼈다(롤러코스터를 타 본 적은 없지만 아마 대충 비슷한 느낌일 것이다). 아빠의 품에 안겨 있는 것은 바로 고양이었던 것이다.

이 구역은 내가 접수한 지 오래고 이곳은 나의 왕국이다. 집 구석구석 나의 체취가 묻어 있지 않은 곳이 없고 나 하나만 활보하기에도 좁은 곳이기도 하다. 갑자기 웬 고양이란 말인가. 나 하나론 이들을 만족시킬 수 없었단 말인가? 사전에 나랑 상의도 없이 제2의 고양이를 입양한다는 것은 말도 안 되는 주최 측의 횡포다.

"너구나? 얘도 되게 귀엽게 생겼네~"

안방에서 나온 엄마가 환하게 웃으며 말하자 외마디 외침과 함께 딩초가 방문을 벌컥 열고 뛰쳐나왔고 딩중이도 언제 나를 안고 있었냐는 듯이 소파에서 용수철처럼 벌떡 일어나 녀석에게 다가갔다. 덕분에 나는 황당함과 당황함이 적절히 버무려진 멍을 때리다 소파 밑으로 굴어 떨어졌고 착지에 실패해 바닥에 나뒹굴었으나 아무도 날 보지 않았다, 녀석만 빼고. 젠장, 녀석에게 보이는 첫 모습이 바닥에서 옆구르기 하는 모습이라니.

아빠를 둘러싼 엄마와 딩중이 딩초는 녀석을 만져 보고 쳐다보느라 아낌없이 꿀을 뚝뚝 흘려대고 있었는데 가만, 아빠가 이렇게 둘러싸여 환대를 받았던 적이 있었던가?

"낼 모레까지 있을 거야. 장례 끝나면 데리러 온대."

녀석을 내려놓은 아빠는 옷 갈아입으러 방으로 들어갔고 딩중이와 딩초는 서로 만져 보려고 신경전까지 벌였다. 그나마 다행이었다. 여기서 아예 눌러 사는 것이 아니라 녀석의 집사가 상을 치르는 3일 동안만 임시로 여기 머문다는 것이. 그래, 까짓 3일쯤이야.

녀석은 내가 이 집에 온 첫날처럼 집 이곳저곳을 탐색하며 돌아다녔고 나는 녀석을 손님으로 대해야 할지 아님 적으로 대해야 할지 골똘히 생각했다. 털색은 다르지만 나와 같은 종인 페르시안 친칠라니까 사실 먼 친척뻘쯤 되는 걸로 하고 살갑게 대할까 싶다가도 이 자식이 내 눈치를 보며 은근슬쩍 제 체취를 여기저기 묻히고 다니는 꼴은 나를 정말 빡치게 했다. 일단은 녀석의 태도를 보고 결정해야겠다.

집 탐색을 마친 녀석은 정말 황당하게도 내 밥그릇에 있는 사료를 제 것인 양 먹고는 내 화장실에 태연하게 들어가 볼일까지 봤다. 아…넌 정말 내가 무섭지 않은 모양이구나. 보는 눈이 많았으므로 섣불리 녀석에게 군기를 잡았다간 내 이미지만 실추될 것이므로 일단은 간단하게 경고만 주자.

나는 녀석에게 슬그머니 다가가 귓속말로 말했다.

"여기 내 나와바리니까 깝치면 국물도 없다. 3일 동안 조용히, 그냥 숨만 쉬고 있다가 조용히 가라."

첫 대화는 첫인상만큼이나 중요하다. 오랜만에 고양이에게 말을 거는 것이기도 했고 녀석과 어쨌든 3일 동안 같이 있어야 하므로 최대한 중저음의 위협적인 목소리를 만들어냈다. 이 정도면 좀 쫄았겠지?

"뭐래는겨~ 숨만 쉬고 어떻게 살라는겨~ 아니 밥도 먹지 말라는겨? 그럼 똥은 어쩔겨. 나오는 똥은 어쩌란 말여~"

뭐, 뭐야 이 새끼. 말투 왜 이래.

"와! 뚜아랑 쟤랑 벌써 친해졌나 봐. 서로 대화한다!"

딩중이가 손뼉을 치며 좋아했다. 친하게 보이는 것 자체가 나에겐 치욕이다. 말투 이상한 이 자식이 나한테 알랑방구를 뀌고 알아서 기어야 정상이다.

"너 새꺄 이따 밤에 봐."

"그려유 그럼~"

빠드득 이를 갈며 안 친하게 보이려고 저만치 물러서려는 그때 딩중이가 츄르 하나를 들고 왔다. 당연한 얘기지만 내 츄르였다.

"만두야 이거 먹어~"

만두? 품! 만두? 이 녀석 이름이 만두였다니 세상 이렇게 먹음직스러울 수가. 만두라는 이름은 녀석의 얼굴과는 잘 어울렸다. 노란 빛깔의 장털에 얼굴이 아주 동그랗던 것이다.

"왜 웃는겨. 지금 내 이름 듣고 나 놀리는겨?"

"야, 품! 만두가 뭐냐 만두가."

"하아…내 원래 이름은 타이거여. 타이거 알지? 호랑이 말여. 그랬는디 천안으로 입양을 가면서 집사들이 내 이름을 만두라고 바꿨지 뭐여."

"와 씨. 호랑이에서 갑자기 만두가 되냐. 너무 드라마틱 하다 야."

넉살 좋게 딩중이에게 야옹거리며 내 츄르를 받아먹는 녀석을 보니 한편으론 얘한테 무슨 잘못이 있을까 싶었다. 만두는 우리 집에 오고 싶어서 온 것이 아니었다. 집사의 상황에 의해, 집사가 자신을 돌볼 수 없는 3일간의 시간 때문에 어쩔 수 없이 우리 집에 임시로 맡겨진 것이다. 입장을 바꿔서 생각해 보자. 만약 우리 가족이 단체로 며칠간 해외여행이라도 떠나야 한다. 그럼 나는 어떻게 될 것인가. 나 역시 누군가에게 맡겨져야 한다. 결국 나는, 우리 고양이들은, 인간의 반려동물들은 자연에서 자연스럽게 살지 않는 이상 인간의 도움을 받아야만 하는 무기력하고 슬픈 운명을 짊어지고 사는 존재인지도 모른다. 나나, 얘나 거기서 거기란 말이다.

딩중이는 만두에게 츄르 반을 주었고 방향을 돌려 나에게 남은 반을 주려고 했다. 하지만 나는 만두에게 온전히 내 츄르 하나를 다 주고 싶은 마음에 입 안에 가득 고인 침을 애써 삼키며 외면해 버렸다.

"내가 천안에서 먹던 것도 맛있었는디 이건 또 색다른 맛이네 그랴."

만두는 이런 나의 배려를 아는지 모르는지 그저 츄르만 챱챱거리며 잘도 먹어댔다. 그리고 그 모습이 싫지 않았다. 이 집에 온 뒤로 내가 같은 고양이와 같은 언어로 대화를 한 적이 언제였던가. 늘 나의 언어는 공허한 메아리였다. 나의 가족들에게 아무리 심각하고 중요한 이야기를 궁서체로 말한다 한들 그들의 귀에는 그저 야옹일 뿐이었다. 다만 내 음성의 높낮이나 장단(長短)에 따라 대충 내가 무슨 뜻을 전달하고자 하는지 그들은 유추할 수 있을 뿐이었다. 그리고 거기에 익숙해진 나 역시 그것이 우리의 정상적인 대화라고 여기고 있었다. 하지만 만두가 오니까 대화가 뇌를 거치지 않고 그냥 내장에서 나오는 느낌이다. 중국어를 익힌 한국 사람이 중국에서 중국 사람 하고만 대화하다가 어느 날 같은 한국인을 만나 한국어로 대화하는 느낌이랄까.

"우선 밥은 여기서 먹으면 돼. 사료는 넉넉하게 주니까 급하게 먹을 필요 없어. 물도 여기서 먹으면 되는데 신선한 물을 먹고 싶으면 싱크대 위에 올라가서 야옹하면 물 틀어주니까 그거 핥아먹으면 되고 따라와 봐."

나는 친절하게 이 집에 대해 설명했고 만두도 순순히 내 말을 경청했다. 3일, 짧다면 짧지만 길다면 긴 시간이다. 있는 동안은 어떻게든 편하게 있어야 하지 않겠는가.

"여긴 딩초 방인데 가급적 들어가지 않는 게 좋아. 딩초는 방문을 닫고 자는 스타일이라 까딱하면 여기 갇히는 수가 있거든. 나도 전에 딩초 방에서 자다가 볼일 봐야 하는데 밤에 문이 닫힌 거 있지. 딩초는 한 번 자면 아침까지 안 일어나서 참다 참다 도저히 못 참아서 책상 밑에다가 똥을 쌌지 뭐야."

"기야? 아침에 엄청 혼났것는디?"

"딩초가 혼났지, 나 가둬놨다고."

나는 만두를 데리고 이번에는 안방으로 들어갔다.

"냄새 나지? 안방 화장실은 들어가지 마. 아빠가 여기서 담배를 피워."

"니이? 아직도 집에서 담배를 피우는 사람이 있단 말여? 아주 몰상식한 사람이구먼."

"좀 그래. 나쁜 사람은 아닌 거 같은데 가끔 똘아이 짓을 그렇게 하더라구."

"하긴 좀 그런 거 같긴 햐. 나랑 여기 올 때 차에서 혼자 미친놈처럼 노래를 부르더라고. 그것도 그냥 부르는 것도 아니고 원래 노래에 화음을 넣더라니께. 심지어는 랩까지 했는디 아주 가관이여."

"이 집에서 니가 젤 조심해야 할 거는 저기 있는 빨래 건조기야. 일루 와봐."

나는 만두를 데리고 빨래 건조기 앞에 섰다. 지금 생각해도 아찔한 공포의 기억이 있는 건조기다.

"우와~ 여기 아늑하고 쫑박혀서 낮잠 자기 딱인디?"

"그치? 그게 함정이야. 나도 여기서 낮잠 자다가 무지개다리 건널 뻔했어."

이 건조기에는 기가 막힌 사연이 있다. 대한민국에 부동산 광풍이 불던 2021년. 아빠와 엄마는 강릉에 있는 허름한 아파트를 7천만 원에 매입하기로 하고 계약금 100만 원을 넣었다. 그런데 집주인이 돌연 마음을 바꿔 집값을 8천만 원으로 올렸고 엄마는 8천만 원이라도 그냥 집을 매입하자고 했으나 아빠가 반대하여 결국 거래가 이루어지지 못했다. 집값을 갑자기 올린 집주인은 원래 계약금 100만 원에

배액 배상금 100만 원을 더하여 200만 원을 돌려 줬고 거기서 번 100만 원으로 이 건조기를 구입한 것이다. 아빠는 건조기를 돌릴 때마다 귀신같은 부동산 투자로 이 비싼 건조기를 구입하게 됐다고 자뻑하였으나 엄마는 그 집이 현재 1억 6천만 원까지 올랐다며 한숨을 쉬었다. 8천만 원을 벌 수 있었음에도 100만 원 벌었다고 좋아하는 아빠는 정말 일반인의 지능을 가지고 있긴 한 건가?

"오~ 여기 아늑하고 좋은디? 심지어 따땃하기까지 햐."

어느새 건조기 안으로 들어간 만두가 말했고 나는 트라우마에 몸을 떨었다.

"빠…빨리 나와! 어서! 거기 들어가면 안 돼!"

건조기가 들어온 날 나 역시 지금 만두 같은 생각을 했었다. 어쨌든 고양이의 습성은 비슷하니까. 건조기 안은 적당히 어둡고 아늑했다. 건조기 안에서 낮잠을 자고 있던 그때 엄마가 갑자기 젖은 빨래들을 대량으로 욱여넣기 시작했고 내가 빠져나올 새도 없이 건조기 문이 닫히고 말았다. 처음엔 그냥 갇혔다는 생각뿐이었다. 하지만 건조기가 작동되면서 통 안은 무서운 속도로 이쪽으로, 저쪽으로 번갈아 가며 회전하였고 더 공포스러웠던 것은 통 안의 온도가 수직 상승했다는 것이다. 더운 정도가 아니었다. 사방에서 불길이 일어나는 것처럼 삽시간에 내 몸을 재로 만들 것처럼 아주 뜨거웠다. 제대로 몸을 가누지도 못할 정도였지만 강한 정신력으로 필사적으로 문을 긁어대지 않았더라면, 엄마가 조금만 날 늦게 발견했더라면 난 뽀송뽀송한 빨래들 안에서 차갑게 식었을 것이다.

밤이 찾아왔다.

우린 싱크대 창문에 올라가 말없이 바깥세상을 보았다.

"잠이 안 와? 멀리서 오느라 피곤할 텐데 좀 자지 그래?"

"잘 때가 되니까 말여 가족들이 보고 싶네 그랴."

"겨우 3일인데 뭐…."

"근디 넌 수컷이여 암컷이여?"

"나 수컷이지."

"수컷 냄새가 안 나는디?"

"수술해서 그래. 중성화 수술."

"그럼 암컷이여?"

"수컷이라고 인마!"

"뗐으면 암컷 아녀?"

"야 이 자식아, 넌 세상에 모 아니면 도밖에 없냐? 뗐어도 난 수컷이야."

"흐음…."

"에휴"

말을 말자. 녀석을 혼자 두고 뒤돌아 내려오려는

그때, 싸한 느낌과 함께 묵직한 것이 내 등에 올라 탔다. 녀석이 나를 덮친 것이다! 그리고 곧바로 녀석의 생식기가 강하게 닿는 느낌이 들었다.

"야 이 미친 캣새꺄!"

나는 강하게 뿌리치며 발길질을 했고 소리까지 질렀다. 녀석도 지지 않고 다시 한번 내 등에 올라타기 위해 안간힘을 썼지만 싸움은 내가 한 수 위였다. 앞발로 녀석의 귀싸대기를 후려쳤더니 깜짝 놀란 녀석이 거실 구석으로 도망쳐 버렸다.

심장이 벌렁거리고 흥분이 가라앉지 않았다. 이 자식이 외지에서 와서 좀 잘해주려고 했더니 보자 보자 하니까 선을 넘네? 나는 분이 풀리지 않아 어둠 속에서 녀석에게 천천히 다가갔다.

"야 너 일로 와봐."

녀석은 미동도 없이 엎드려 있었고 나는 화가 풀리지 않은 채 점점 거리를 좁혀가며 귀싸대기를 한 대 더 후려칠지 목덜미를 물어 버릴지 공격 방법을 고민했다. 하지만 녀석 앞에서 난 아무 공격도 할 수 없었다. 만두는, 울고 있었다.

"미…미안햐…정말 미안햐…그러면 안 된다는 걸 알면서도…."

"야…너 울어?"

"난 중성화 수술을 받지 않았어. 그게 뭔 뜻인지 알거여. 난 수컷이여. 참기가…참 힘들구먼…."

아…우린 동물이다. 동물은 본능대로 움직인다. 내가 만약 중성화 수술을 받지 않은 고양이였다면 이런 상황에서 인내력을 발휘할 수 있었을까? 만두와 다른 모습을 보일 수 있었을까? 나는, 달랐을까?

다음날부터 만두는 가끔 본성을 이기지 못하고 내 등에 올라타려는 시도를 안 한 것은 아니었으나 그럴 때마다 나의 하악질에 움찔하고는 대체로 인내하였다. 우린 밥그릇 하나에 함께 머리를 박고 밥을 먹었고 (개새끼들은 상상도 못할 일) 창가에 나란히 앉아 함께 지는 노을을 보았으며 츄르까지 사이좋게 나눠 먹으며 즐거운 시간을 보냈다. 베란다 끝에서 주방 끝까지 누가 더 빠른가 달리기도 하고 그동안 살아온 묘생 이야기를 공유하기도 하였다. 그렇게 3일이라는 시간이 후딱 지나가 버리고 이제는 우리가 헤어져야 할 시간….

"고마웠어. 내가 다시 천안으로 가면 이제 우리 못 보겠지?"

"모르지 그건. 우리네 묘생이 어떻게 흘러갈지 누가 알겠어. 다시 또 만나게 되든, 아님 죽을 때까지 다시는 못 만나게 되든, 그게 뭐가 중요하겠냐. 중요한 건 우리가 함께 했던 3일이라는 추억인 거지. 그것만 생각하자."

"역시, 멋있구먼."

만두가 웃었다. 그리고 나도 웃었다. 우린 마지막

의식으로 서로의 털을 짧게 그루밍해 주고는 쿨하
게 헤어졌다. 아쉬움이야 왜 없었겠는가. 하지만 아
쉽다고 내가 천안에 가서 같이 살 수도 없는 것이
고 만두가 우리 집에서 같이 살 수도 없는 것이다.
내 남은 묘생에 그를 다시 만날 수 있다면 반가운
일이 될 것이고, 다시 그를 만날 수 없다면 잠시나
마 만나서 우정을 나눌 수 있었음에 감사해 하면
그뿐이다. 묘생이란, 그냥 그런 것이니까.
잘 가, 내 친구 만두.

20. 비 오는 날의 모노드라마.

아침부터 내리기 시작한 비는 오후 들어 더 세차게 퍼 내리고 텅 빈 집에서 나 홀로 고독을 씹고 있다. 고독 말고 쥐 껍데기 같은 걸 씹으면 더 좋겠지만 도시에선 쥐 구경하기가 쉽지 않다.

늘어지게 잠도 잤고 배불리 밥도 먹었으며 혼자서 장난감 물고기를 가지고 놀다 문득 쓸쓸해져 주위를 둘러보니 가족들이 불을 다 끄고 외출하여 집이 어둡다.

베란다 캣타워 위로 올라가 바깥 화단을 구경하고 싶었으나 베란다 문이 닫혀 있어 나갈 수가 없고 앞발로 열어보려 애쓰지만 어림없다. 차선책으로 주방 싱크대 작은 창가에 앉아 비 내리는 바깥 도로를 그저 멍하게 쳐다본다.

와이퍼를 분주히 흔들어대며 어디론가 달리는 자동차들. 우산을 꼭 붙잡고 찡그린 얼굴로 걸어가는 사람들. 비 오는 도시의 풍경에서 여유 있어 보이는 건 오직 나무와 풀들뿐이다. 아, 그리고 나도.

이런 날이면 질퍽한 츄르나 한 입 하면서 멍 때리는 게 제일인데, 가만, 어디선가 츄르냄새가…. 냄새를 추적해 보니 쓰레기통에 다 먹은 츄르 튜브가 버려져 있다. 나는 폴짝 뛰어 내려가 쓰레기통을 뒤져 구겨져 있는 츄르 튜브를 입에 물고는 다시 싱크대 작은 창가에 앉았다.

비릿한 츄르 향기와 내리는 빗소리를 들으니 이유

를 알 수 없는 눈물이 촉촉이 고인다. 나는 앞발로 싱크대 창문을 툭툭 열고는 들이치는 비를 맞으며 잠시 눈을 감았다가 이빨로 방충망을 뜯어 버리고 잠시 나갔다 올까 하는 강렬한 충동에 휩싸였지만 참았다. 일단 지금 나가게 되면 비 때문에 모든 냄새가 희미해져 집으로 돌아오기가 쉽지 않을 걸 알기 때문이다. 감정이 앞서 있어도 하지 말아야 할 짓은 하지 않아야 하는 거겠지.

이곳에서의 나의 생활은 제법 만족스럽다.

끊기지 않는 사료가 있어 굶주림과 마주할 일이 없고 네 식구가 모두 날 사랑하고 있음을 느낄 수 있으며 최근 고양이 용품점에서 알바를 하는 이모로부터 몇 박스나 되는 츄르, 사료, 장난감 등을 택배로 받아 세상 부족할 것이 없는 고양이가 되었다. 딩중이와 딩초는 봄, 여름, 가을, 겨울 할 것 없이 날 데리고 산책을 나가기에 사계절의 냄새를 실컷 맡을 수도 있고 엄마 차를 타고 드라이브도 가끔 한다. 두어 달에 한 번 정도는 강릉에 가서 바다 구경도 하고…. 세상에 이런 고양이가 어디에 있겠는가.

내가 이들을 만난 건 나에게 있어 저절로 굴러 들어온 행운이다. 내가 뭔가를 잘했거나 어떤 노력을 해서 이루어낸 것이 아닌 그냥 타고난 복인 것이다. 하지만 그냥 타고난 복이라고만 하기에는 너무 우연의 의미가 짙은 것 같다. 그래, 이건 운이 아니라 운명, 더 정확히 말하자면 묘연(猫椽), 사람으로 치면 인연이 아니고 무엇이겠는가.

이번 생에서 누군가와 인연을 맺으려면 세 겁의 연이 필요하다고 한다. 이번 생에서 한 번 보고, 다음 생에서 한 번 스쳐야 그다음 생에서 말을 섞게 된다고. 또 어떤 이는 인연이 될 확률을 이렇게 비유하기도 한다. 백 년에 딱 한 번 수면 위로 떠오르는 거북이가 있는데 때마침 날아가던 새의 깃털 하나가 떨어져 백 년 만에 올라온 거북이 머리 위에 떨어질 확률.

비 오는 날 길을 걷다가 번개 맞은 사람이 잠시 뒤에 또 번개를 맞고 나서 지나가는 사람 아무나 붙잡고 숫자 8개를 외쳤을 때 그 숫자가 붙잡힌 사람의 전화번호일 확률이 로또에 당첨될 확률이라고 하는데 로또 당첨 확률보다 사람이 인연 맺을 확률이 훨씬 더 적으니 그것이 얼마나 소중한 것인지는 굳이 설명할 필요가 없을 것 같다(으응? 지금까지 실컷 설명해놓고…).

먹다 남은 츄르를 앞발로 꾹꾹 누른 후 찔끔 삐져나온 미량의 츄르를 혀에 넣고 잠시 음미한다. 나는 츄르를 많이 먹으면 설사를 하기 때문에 가족들이 나에게 츄르 줄 때 조심하곤 하는데 이렇게 비 오는 날 츄르 찌꺼기 정도는 괜찮잖아? 거 츄르 먹기 딱 좋은 날씨네.

나는 왜 고양이로 태어났을까.

사람도 동양인, 서양인, 백인, 흑인, 황인종이 있듯이 고양이도 종이 있고 나는 우아하기로 소문난 페르시안 친칠라 종이다(난 왜 안 우아하냐 근데). 페르시안은 이란을 중심으로 한 중동지방을 뜻하는데 그렇다면 나의 조상님은 중동 출신인 건가? 아니다. 나의 시조는 영국에서 출발한다.

페르시안 고양이 조상님과 치니(Chinnie)라는 고양이 조상님 사이에서 태어난 새끼가 나의 시조이다. 따라서 나는 이래 봬도 유럽 출신인 것이다. 하지만 그것이 무슨 의미가 있으랴. 나는 한국에서 태어났고 이곳 수원에서 생활하고 있으니 그냥 수원 고양이인 것인데, 왜 수원 사람으로 안 태어나고 수원 고양이로 태어났을까.

내가 사람으로 태어났다면 어땠을까? 어려서는 공부를 해야 하고 어른이 되어서는 돈을 벌어야 하며 어르신이 돼서는 외롭지 않아야 하는데 생각만 해도 피곤하다. 동물의 삶은 간단하다. 졸리면 자고 배고프면 먹고 마려우면 싸고 심심하면 놀다가 수명을 다하면 그냥 적당한 곳을 골라 몸을 누이면 된다. 그래서 난 인간이 부럽지 않다. 인간은 단순한 삶을 살기가 쉽지 않다. 사람들이 복잡하게 살 수밖에 없는 이유는 다른 사람들도 복잡하게 살기 때문이다.

그리고 사회는 복잡하게 살아갈 환경을 "문명"이라는 말도 안 되는 구실로 조장하기까지 한다. 자동차 같은 이동 수단으로 더 멀리 더 빠르게 갈 수 있는 게 문명이라고 말한다. 왜 더 멀리, 더 빠르게 가야 하는데? 스마트폰 같은 첨단 기기로 언제 어디서든 연락을 할 수 있고 위치를 공유할 수 있으며 사람이 써야 할 두뇌를 기계가 대신 써준다. 요즘 자기 부모님 전화번호조차 외우지 못하는 사람이 부지기수인데 다른 이유가 없다, 안 외워도 되니까 안 외우는 것이다.

동물들의 삶은 단순하고 그래서 즐겁고 행복하다. 먹이를 찾고 안전한 은신처를 찾는 것이 유일한 노동이자 스트레스일 수 있지만 먹을 걸 잔뜩 쌓아놓고도 계속해서 먹이를 찾아 헤매는 인간들보다는 낫다.

다만 인간에 비해 동물이라서 아쉬운 부분이 있다면 바로 수명이다. 사람은 80여 년이라는 꽤 오랜 세월을 사는데 비해 고양이는 대략 15년 정도를 산다. 사람보다 늦게 태어나서 사람보다 일찍 죽는다. 특별한 사고나 질병 없이 내가 천수(天壽)를 누린다면 나에게 남은 시간은 대략 8년 정도. 딩중이 딩초는 인생에서 가장 아름다울 20대를 꽃피울 것이고 아빠 엄마는 인생 2모작을 준비해야 하는 시기, 나와의 이별은 어떤 모습일지 궁금하다.

슬프겠지. 슬플 것이다. 떠나는 나도 슬프고 남겨진 가족들도 슬플 테지만 떠나는 이보다 남겨진 이가 더 슬픈 법이니까, 벌써부터 가족들을 남기고 떠나는 게 미안해진다.

하지만 난 그들에게 슬픔만큼의 추억 역시 남기게 될 테니까 나의 가족이여, 나와의 추억을 조금씩 꺼내 먹으며 살지어다. 내가 가면 다른 고양이는 들이지 말지어다, 질투 나니까.

그런데 내가 다 쓰고 버린 내 사체는 어떻게 처리할까? 동물 병원에서 죽으면 의료폐기물이 되고 집에서 죽으면 생활 쓰레기가 된다. 쓰레기봉투에 잘 담아서 버리면 되는데 이건 좀 아쉽다.

내가 야생에서 죽는다면 다른 동물들이나 벌레들 혹은 식물들을 이롭게 하는 데 쓰일 것이다. 어차피 내가 다 쓰고 버린 것이 다른 개체가 먹고사는데 도움을 줄 수 있다면 이 얼마나 아름다운 일인가. 하지만 쓰레기봉투에 담겨 소각장이나 매립장으로 간다면 그다지 아름답지는 않을 것 같다.

나는 우리 가족이 날 쓰레기봉투에 담아 그냥 내다 버릴 거라고는 생각하지 않는다. 그러기엔 우리 가족이 그 정도로 모진 사람들은 아니기 때문이다. 하지만 산이나 이런 데다가 묻거나 임의로 태우게 되면 불법으로 과태료 대상이 되니까 그것도 안 될 것 같고. 천상 동물장묘업 신고가 된 화장터에서 곱게 화장(火葬) 하는 수밖에 없을 텐데, 그럼 그 뼛가루는 어디에 뿌리지?

아, 내가 참 별 걱정을 다한다. 내가 떠난 이후의 일은 남겨진 자들의 몫이자 권리이므로 그저 함께 있는 시간 동안 최선을 다하고 열심히 행복하기로 하자.

비가 잦아들고 있다.

창가에 앉아 비 오는 풍경을 즐길 수 있는 건 언젠가 비가 그칠 것을 알기 때문인데 그 언젠가가 이렇게 빨리 올 줄은 몰랐다. 흔들리는 나뭇잎들도 못내 아쉬운 표정을 짓고 있다. 오직 사람들만이 우산을 접으며 얼굴을 펴고 있다. 공기는 한껏 눅눅해졌고 내 털들도 습기를 머금어 무게를 늘렸다. 나는 싱크대 창가에서 내려와 딩초 방을 한 바퀴 둘러본다. 이 녀석 올 때가 됐는데 왜 아직 안 오나. 딩중이 방도 슬쩍 들어가 봤는데 오늘따라 애들이 보고 싶네. 딩중이 딩초야, 비 온다, 너희들도 빨리 와라.

그리고 나는 어두운 현관 앞에 정물처럼 굳어 선 채 하염없이 가족들을 기다렸다. 너희들을 항상 기다리는 무언가가 늘 여기 있다는 걸 알려주기라도 할 듯이.

21. 잠시만 안녕.

이들의 첫 계획은 필리핀에서 1년 살기였다.

실로 엄청난 프로젝트가 아닐 수 없었는데 필리핀에서 1년을 살고 오면 딩중이와 딩초는 한국에 돌아와 1년 후배들과 동급생이 되는 상황이 되는 것이고 아빠는 기러기 신세로 전락하게 되므로 이 프로젝트는 성공적으로 끝나지 않을 경우 온 가족이 받게 될 타격이 너무나도 컸다.

하지만 그에 아랑곳하지 않고 아빠와 엄마는 이 프로젝트를 그대로 진행시켰으며 어느 정도 돈이 모여 실행단계에 도달했을 때 코로나가 터지는 바람에 프로젝트가 전면 백지화되었다.

하지만 이들은 곧바로 플랜 B를 가동하였으니 그것은 바로 제주도에서 1년 살기였고 이는 필리핀 1년 살기보다는 훨씬 실패에 대한 리스크가 적다는 장점이 있었다. 딩중이와 딩초는 제주로 전학을 갔다가 1년 뒤에 한 학년이 오른 상태로 자연스럽게 컴백할 수 있었고 아빠도 최소 한 달에 한 번 정도는 제주로 날아가 가족들과 시간을 보내는 게 가능했다. 하지만 플랜 B 역시 가동도 하기 전에 무산되어 버렸으니 이는 어느 날 아빠가 난데없이 강릉에 전셋집을 얻으면서 자금난에 빠져 벌어진 일이었다.

이들은 주말이나 연휴 때 뻔질나게 강릉을 다니면서 그곳의 매력에 흠뻑 빠진 나머지 잠시 잊은 듯

했던 어딘가에서 1년 살기 대상을 강릉으로 정하는 듯 보였으나 그마저도 흐지부지하다가 2년 전세 만기와 동시에 1년 살기 논의는 수면 아래로 가라앉고 말았다.

시간은 그렇게 조용히, 하지만 신속하게 흘러갔고 딩초는 초등학교 6학년, 딩중이는 중학교 졸업을 앞두고 있던 가을, 엄마가 다시금 불을 붙였다.

"1년 살기는 무리야. 하지만 1달 살기는 무리가 아니지. 코로나도 풀렸겠다 이번 겨울에 떠나야겠어."

"떠나? 어딜 떠나."

"필리핀."

"올 겨울에?"

"딩중이 고등학교 들어가면 이제 시간 없어. 이번 겨울방학이 어쩌면 마지막 기회야."

아빠는 잠시 생각에 잠겼다. 그로서는 진퇴양난이었을 거다. 아빠는 평상시 딩중이 딩초에게 항상 강조해왔다. 공부는 못 해도 상관없으니 책 많이 읽고 영어만 하면 된다고. 책은 확실히 많이 읽고 있고 읽으면 되는데 영어는 어디 가서 배우지 않으면 쉽지 않은 종목이다. 게다가 아빠가 의미하는 영어는 독해나 작문의 영역이 아니라 커뮤니케이션에 관한 것이고 이것은 어학연수가 가장 빠르고 확실한 방법임을 아빠 본인 스스로 해봐서 잘 알고 있었다.

하지만 무턱대고 그냥 보내기엔 아빠가 감당해야 할 부분이 가혹했다. 중학교 졸업식을 마친 후 떠났다가 고등학교 입학식 전에 오겠다는 엄마의 계획대로라면 딩중이의 고등학교 교복도 아빠가 혼자 가서 맞춰 와야 하고 고등학교 오리엔테이션도 아빠가 가서 교육받고 책 받아와야 했으며 내 똥 치우기, 나 밥 주기, 나랑 놀아주기, 내가 어질러 놓을 예정인 집 청소하기 등도 다 아빠의 몫이 되었다.

무엇보다 아빠는 혼자 밥해 먹고 혼자 자는 것에 익숙하지 않은 사람이었다. 물론 엄밀히 따지면 혼자는 아니다, 내가 있으니까 말이다. 하지만 아빠와 나와의 관계가 그다지 돈독한 관계라고는 말할 수 없다는 점을 감안하면 결국 기간제 홀아비 생활을 아빠가 감내할 수 있겠는가, 하는 부분에 대해서 명확한 다짐이 필요해 보였다.

"좋아. 자식이 공부를 하겠다는데 그깟 한 달을 못 보내줄까. 다녀와. 대신…."

"대신?"

"대신…. 꽃사슴(딩초)은 놓고가…. 나 혼자 어떻게 살라고…."

옆에서 드러누워 핸드폰 게임을 하고 있던 딩초가 풉,하고 웃었다. 언어도 아닌 그 풉,이라는 짧은 입소리만으로 우리 식구들은 그게 무슨 뜻인지 다 알았다. 말 같지 않은 소리 하지 마세요,였다.

"뚜아 있잖아 뚜아. 뚜아랑 둘이 사는 건데 뭘 혼자 산다 그래."

아빠가 날 보며 한숨을 내쉬었다. 나 역시도 한숨이 나왔다. 우린 서로를 보며 한숨을 쉬었다. 아빠가 내 똥을 치운 적이 있었던가? 아빠가 나에게 밥을 준 적이 있었던가? 심란했다. 엄마랑 둘이 산다면 아무 걱정이 없었다. 하지만 아빠랑 둘이 사는 생활은 상상이 잘되지 않았다. 밥을 굶고 화장실은 더럽고 술병이 나뒹구는 거실이 간신히 상상되었지만 아무튼 썩 유쾌한 상황은 아니었다.

"그럼 차라리…."

"차라리 뭐?"

"뚜아도 데려가."

"뚜아를 그 먼 데까지 어떻게 데려가."

"미리 예방접종 시키고 출국할 때 검역하고 서류 준비하고 뚜아랑 이동 케이지 무게 합쳐서 7킬로 안 넘으면 비행기 탈 수 있어."

"굳이? 겨우 한 달 갔다 오는 건데 굳이 얠 데려가?"

"그러네…."

이런 걸 빼박캔트라고 한다. 한 달 동안이나 아빠와 둘이 지낼 시간을 생각하니 한숨이 절로 나왔지만 겨우 한 달만 버티면 되는 거니까 못 할 것도 없다. 내가 15년을 산다면 180개월이다. 한 달이라는 시간은 나에게 180분에 1밖에 되지 않는다. 하루는 길고 한 달은 짧은 것이 우리네 시간이지만 혼자면 혼자대로 둘이면 둘대로 저마다의 삶의 방식을 찾기 마련이다.

다음날부터 엄마는 필리핀 한 달 어학연수를 알아보기 시작했고 아이들은 간만에 나가는 해외여행, 처음 해보는 해외 생활에 대한 기대로 들떠 있었다. 딩초는 1년 내내 여름인 그곳에서 수영도 하고 스노클링도 실컷 하겠다며 원래의 목적인 영어 공부보다는 액티비티 쪽에 관심이 더 가는 듯 보였다. 딩초야 너 공부하러 가는 거지 전지훈련 가는 게 아니란다.

딩중이는 한참 절정을 맞은 남자친구와의 연애를 한 달이나 쉬어야 한다는 게 마음에 걸린 듯 매일 데이트를 시작했고 아빠도 혼자 있는 시간 동안 무언가를 이루겠다며 한 달 완성 다이어트 및 몸짱으로 재탄생 하기 프로젝트를 계획했다. 가장 바쁜 건 엄마였다.

어학원을 알아보고 기간을 정하고 애들 여권을 갱신하고 자금계획을 짜고…. 그렇게 온 식구들이 분주한 가을을 보내고 겨울이 왔다. 딩초는 기나긴 겨울방학에 돌입하여 오밤중에 잠들어 대낮에 일어나는 20대 청년 백수 코스프레를 시작했고 딩중이는 정들었던 친구들과 예정된 날벼락 같은 졸업식을 마친 후 이제는 어엿한 여고생이 될 준비를 하고 있었다.

출국 날짜가 다가올수록 세 모녀는 새로운 환경에서의 생활에 대한 기대에 부풀었으나 아빠와 나는 물 한 모금 못 먹고 시들어 가는 꽃처럼 머리와 시선이 땅으로 떨어지는 빈도가 늘어만 갔다.

출국 이틀 전, 엄마는 냉장고에 있는 모든 음식을 꺼내 버릴 건 버리고 아빠가 안 먹을 것 같지만 버릴 수는 없는 음식들을 냉동실 깊숙이 집어넣었으며 당장 꺼내 먹을 수 있는 것들은 잘 보이게 앞쪽으로 전진 배치하였다. 또한 세탁기, 건조기, 로봇청소기 작동법을 아빠에게 전수하였는데 아빠는 실습 나온 인턴사원처럼 자못 진지하게 교육에 임하였다. 내 사료가 보관되어 있는 위치와 화장실 모래 교체법을 배울 때는 심드렁했는데 이씽 밥 제때 안 주고 모래 제대로 보충 안 해주기만 해봐, 확 물어 버릴 거야!

출국 하루 전, 엄마는 여행용 트렁크 세 개를 꺼내 미리 준비해 놓은 여름 옷들과 수영복을 챙기기 시작했고 두 딸들도 각자의 짐을 쌌는데 그 모습을 보는 나와 아빠의 표정은 마냥 어둡기만 했다.

그리고 출국 날이 되었다.

그들을 보내기 싫었다. 그냥 그런 생각이 들었다. 잠시 떨어져 있는 것뿐이지만 그 잠시를 어떻게 견

려야 할지 알 수 없어 나는 현관 앞에 놓인 가방들 사이를 왔다 갔다 하며 불안에 떨었다.

"뚜아양~ 누나 다녀올게~ 보고 싶을 거야….."

"야옹~ 늬야야옹~ 크아아옹~"

나는 촉촉해진 그들의 눈을 보며 정성을 다해 울었고 그런 나를 그들은 돌아가며 꼭 안아 주었다. 이 온기를 기억해야 한다. 나를 안아 줄 때 느꼈던 그들의 품을 기억해야 한다. 그들의 냄새를 기억해야 한다. 물리적 거리가 멀어지면 심리적 거리는 가까워질 수도 있고 아님 전보다 더 멀어질 수도 있다. 우리는 어느 쪽일까.

그들이 떠나고 나는 어둠이 내리는 베란다 창가에 서서 하늘을 바라보았다. 저 하늘을 날아 멀리 떠나는 그들의 안녕을 빌고 몸 건강히 잘 다녀오라고 고양이 신께 기도했다. 우리는 다시 만날 것을 알고 헤어졌으니 굳이 슬퍼할 일도 아닌데 공허한 마음이 드는 건 어쩔 수 없었다.

몇 시간 뒤 공항에서 돌아온 아빠는 라면 하나를 끓여 홀로 술을 마셨고 나는 그런 아빠를 위로하기 위해 그의 곁에 오래도록 앉아 있었다. 술잔을 든 그의 눈에서 눈물 한 방울이 떨어져 맑은 잔에 떨어졌고 그는 그것을 단숨에 비워냈다. 그가 마신 것은 술인가 눈물인가. 정체 모를 내 마음의 허전함은 그들의 빈자리인가 홀로된 아빠를 보는 애잔함인가.

말없이 술잔을 기울이던 아빠가 고개를 돌려 벽에
걸린 가족사진을 보았고 그 시선을 따라 나도 사진
을 보았다. 아빠와 나는, 우리는, 고개가 아플 때까
지 아주 오래도록 사진을 보았다.

22. 에필로그.
뚜아의 언어를 옮기며.

뚜아랑 둘이 있던 어느 날 화장실에서 볼일을 보고 있는데 문 앞에서 계속 뚜아가 야옹거렸습니다. 그 울음소리가 평소와는 달리 너무 구슬퍼서 무슨 일이 있나 했지만 중간에 끊을 수가 없어서 그냥 있었는데 녀석은 급기야 문을 긁어대며 소리까지 질러댔습니다.

대충 마무리 하고 나가보니 뚜아는 내 눈치를 슬금슬금 보면서 날 데리고 어딘가로 갔고 가보니 텅 빈 밥그릇에 코를 대고 먹는 시늉을 하길래 아, 밥이 없으니 밥을 내놓으라는 뜻이구나 하고는 사료를 가득 부어 주었습니다.

허겁지겁 식사를 하는 뚜아를 보며 생각했습니다. 녀석이 나에게 대화를 한 거였구나. 그러고 보니 뚜아는 자신의 의사표현을 할 때 각기 다른 음성을 냅니다. 심심하니 놀아달라고 할 때는 가늘고 약한 소리를, 반갑다는 표현을 할 때는 입을 쫙 벌리고 큰 소리로 냐옹거리는 식이지요.

잘 들어보면 뚜아가 무슨 말을 하는 지 알 수 있다는 사실을 깨닫게 되면서 즉, 뚜아의 언어를 이해할 수 있게 되면서 저는 반대로 뚜아가 저의 말을 알아들을 수 있다면 얼마나 좋을까 하는 바람을 가져보았습니다.

뚜아가 사람의 언어를 이해할 수 있다면 사람들의 행동 또한 이해할 수 있을 것이고 심지어 사람들의 지식도 배울 수 있겠지요. 사람과 좀 더 가까운 감정교류가 가능하고 고양이 시각에서 사람들의 삶을 기록하고 이야기 하는 것도 가능할 거 같았습니다.

이 이야기는 그렇게 시작되었습니다.

뚜아는 사람의 언어를 알아듣지만 사람들은 뚜아의 언어를 알아듣지 못하는 것으로 설정한 이유는 그래야 온전히 사람의 편이 아닌 고양이 시각에서 사람의 행동을 판단할 수 있기 때문이었습니다.

고양이를 키우는 많은 집사님들이 계십니다. 그들은 고양이의 행동을 관찰하고 거기에서 기쁨과 행복을 느낍니다. 저도 역시 마찬가지고요. 그리고 많은 분들이 고양이에 대한 이야기를 "집사의 관점"에서 쓰고 계십니다. 고양이가 얼마나 귀여운 동물인지, 얼마나 영리한 동물인지, 얼마나 훌륭한 동물인지를 역설하십니다.

하지만 고양이도 집사의 행동을 관찰하고 집사가 노는 걸 보면서 흐뭇해 하고 행복해합니다.(그렇지 않을까요?) 제가 인간의 언어를 알아들을 수 있는 뚜아라면 "고양이의 관점"에서 집사 이야기를 쓰고 싶었을 겁니다.

어쩌면 이 글들은 고양이 이야기가 아니라 가족 이야기일지도 모르겠습니다. 아내와 두 딸들에 대한 에피소드가 많이 등장하니 말입니다. 저희 가족이

뚜아와 함께 살아가면서 겪은 삶들을 이런 식으로나마 기록해 두고 싶다는 욕망도 투영해가며 썼습니다. 그리고 틈틈이 고양이에 대한 상식이나 정보도 서술했는데 제가 알지 못하는 지식은 검색을 통해 적을 수 있었습니다. 예를 들어 고양이의 청력이나 후각에 대한 정보, 놀라운 점프력에 대한 지식들을 이야기 속에 속여내기 위해 검색을 하고 조사를 하는 동안 제 스스로도 많은 공부가 되었음을 고백합니다.

이 글의 장르가 소설인지 에세이인지 저도 잘 모르겠습니다. 에세이는 팩트를 기반으로 해서 거기에 감정과 사유를 녹여 내는 것이고 소설은 현실에서 있을 법한 허구적인 이야기인데 이 책에 나오는 에피소드는 모두 실제 있었던 일들이고 거기에 감정과 사유를 집어넣긴 했으나 고양이가 인간의 언어를 알아듣고 인간의 지식을 섭렵하고 있다는 건 당연히 허구지요. 게다가 프롤로그에서 "아빠의 손가락을 빌려 고양이인 내가 글을 쓴다."라고 대놓고 뻥을 날렸으니 이 책의 정체가 대체 뭔가 싶기도 합니다.

소설도 아니고 에세이도 아닌 이 글의 정체가 불분명하긴 하지만 저는 딱히 신경 쓰지 않습니다. 그냥 제멋대로 소설인지 에세이인지 모를 이 책을 쓰면서 그저 즐거웠습니다. 여러분들도 아무쪼록 재밌게 읽어주셨기를 그저 바랄뿐입니다.

2018년에 뚜아가 저희 집으로 와주었으니 벌써 가족이 된 지 7년차가 되었습니다. 지난 6년 동안 정말 많은 일들이 있었고 이 이야기들 속에 넣고 싶었지만 넣을 수 없는 이야기들도 아주 많이 있었습니다. 두 딸에 얽힌 아주 재밌는 이야기 소재도 몇 개 더 있었지만 절대 그 이야기만큼은 쓰지 말라며 정색을 해서 쓰지 못한 경우도 있었습니다.

아쉽긴 하지만 이 정도로 만족합니다. 그리고 앞으로도 뚜아는 계속 우리와 함께 살아갈 것이므로 더 재밌고 더 흥미진진한 이야깃거리가 계속 나올 것을 확신합니다.

이 이야기들을 읽어 주시는 분들이 어떻게 읽으셨는지 모르겠습니다. 다만 이야기를 짓고 책을 만드는 저의 과정은 대단히 즐겁고 재밌는 시간이었음을 밝힙니다. 게다가 표지 일러스트를 그려준 최아영 양과의 공동작업은 그 자체로 저에겐 행복이었습니다. 최아영 양이 이 책 출간을 계기로 한뼘 더 성장하고 그가 이루고자 하는 바에 이바지할 수 있기를 기대합니다.